4주 완성 스케줄표

공부한 날		주	일	학습 내용
월	일	**1**주	도입	1주에 배울 내용을 알아볼까요?
			1일	(진분수)+(진분수)
월	일		2일	받아올림이 없는 (대분수)+(진분수), (대분수)+(대분수)
월	일		3일	받아올림이 있는 (대분수)+(진분수), (대분수)+(대분수)
월	일		4일	받아올림이 없는 세 분수의 덧셈
			5일	받아올림이 있는 세 분수의 덧셈
월	일		평가 / 특강	누구나 100점 맞는 테스트 / 창의·융합·코딩
월	일	**2**주	도입	2주에 배울 내용을 알아볼까요?
			1일	진분수의 뺄셈
월	일		2일	받아내림이 없는 (대분수)-(분수)
월	일		3일	(자연수)-(분수)
월	일		4일	받아내림이 있는 (대분수)-(분수)
월	일		5일	세 분수의 계산
			평가 / 특강	누구나 100점 맞는 테스트 / 창의·융합·코딩
월	일	**3**주	도입	3주에 배울 내용을 알아볼까요?
			1일	소수 알아보기
월	일		2일	소수의 크기 비교
월	일		3일	소수 한 자리 수의 덧셈
월	일		4일	소수 두 자리 수의 덧셈
월	일		5일	자릿수가 다른 소수의 덧셈
			평가 / 특강	누구나 100점 맞는 테스트 / 창의·융합·코딩
월	일	**4**주	도입	4주에 배울 내용을 알아볼까요?
			1일	소수 한 자리 수의 뺄셈
월	일		2일	소수 두 자리 수의 뺄셈
월	일		3일	자릿수가 다른 소수의 뺄셈
월	일		4일	세 수의 덧셈, 뺄셈
월	일		5일	세 수의 덧셈과 뺄셈
			평가 / 특강	누구나 100점 맞는 테스트 / 창의·융합·코딩

공부한 날을 표시하고 하루하루 학습 내용을 살펴보세요.

Chunjae
Makes
Chunjae

▼

기획총괄	박금옥
편집개발	지유경, 정소현, 조선영, 원희정,
	이정선, 최윤석, 김선주, 박선민
디자인총괄	김희정
표지디자인	윤순미, 안채리
내지디자인	박희춘, 이혜진
제작	황성진, 조규영

발행일	2021년 4월 15일 초판 2021년 4월 15일 1쇄
발행인	(주)천재교육
주소	서울시 금천구 가산로9길 54
신고번호	제2001-000018호
고객센터	1577-0902

똑똑한
하루 계산

4B

기운과 끈기는
모든 것을 이겨낸다.
- 벤자민 플랭크린 -

주별 Contents

똑똑한 하루 계산

이 책의 특징

도입

이번에 배울 내용을 알아볼까요?

이번 주에 공부할 내용을 만화로 재미있게!

반드시 알아야
할 개념을
쉽고 재미있는
만화로 확인!

개념 완성

개념·원리 확인

쉬운 계산 원리를 만화로 쏙쏙!

계산 반복 훈련

계산 원리와 방법이
한눈에 쏙쏙!

똑똑한 하루 계산법

· (진분수) − (진분수)

예 $\dfrac{5}{8} - \dfrac{2}{8}$ 의 계산

$$\Box - \Box = \Box$$

분자끼리 빼기

$$\frac{5}{8} - \frac{2}{8} = \frac{5-2}{8} = \frac{3}{8}$$

분모는 그대로

분모는 그대로 두고
분자끼리 뺍니다.

○×퀴즈

계산이 바르면 ○에,
틀리면 ✕에
○표 하세요.

$$\frac{4}{7} - \frac{1}{7} = \frac{3}{7}$$

○   ✕

정답 ○에 ○표

기초 집중 연습

다양한 형태의 계산 문제를 반복하여 완벽하게 익히기!

생활 속에서 필요한 계산 연습!

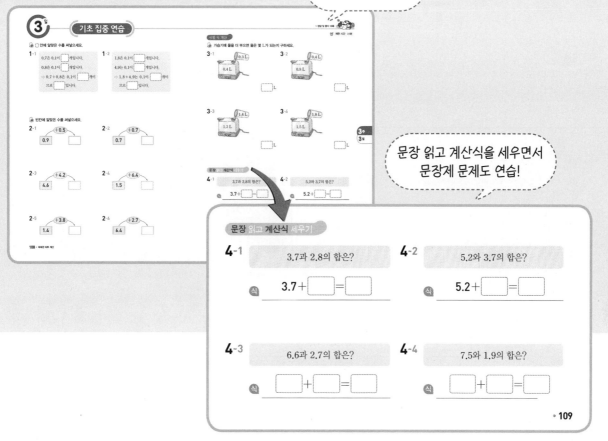

문장 읽고 계산식을 세우면서 문장제 문제도 연습!

문장 읽고 계산식 세우기

4-1   3.7과 2.8의 합은?

식   3.7 + ☐ = ☐

4-2   5.2와 3.7의 합은?

식   5.2 + ☐ = ☐

4-3   6.6과 2.7의 합은?

식   ☐ + ☐ = ☐

4-4   7.5와 1.9의 합은?

식   ☐ + ☐ = ☐

평가 + 창의 · 융합 · 코딩

한 주에 배운 내용을 테스트로 마무리!

빠르고 정확하게 풀어 보자!

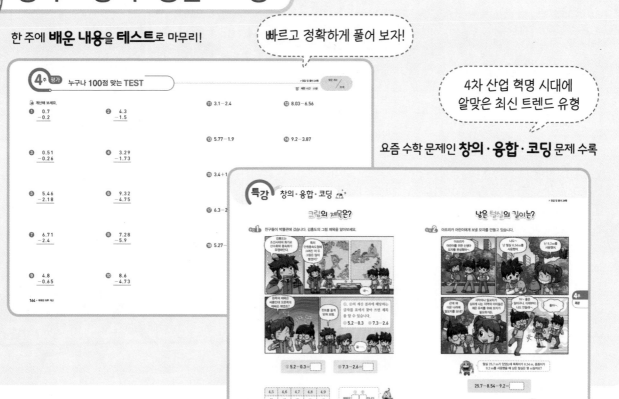

4차 산업 혁명 시대에 알맞은 최신 트렌드 유형

요즘 수학 문제인 **창의 · 융합 · 코딩** 문제 수록

1주 분수의 덧셈

똑똑한 하루 계산

1일 (진분수)＋(진분수)
2일 받아올림이 없는 (대분수)＋(진분수), (대분수)＋(대분수)
3일 받아올림이 있는 (대분수)＋(진분수), (대분수)＋(대분수)
4일 받아올림이 없는 세 분수의 덧셈
5일 받아올림이 있는 세 분수의 덧셈

1주에 배울 내용을 알아볼까요?

진분수, 가분수, 대분수

피자의 양을 대분수로 나타내면 $1\frac{1}{4}$야.

대분수는 $1\frac{1}{4}$처럼 자연수와 진분수로 이루어진 분수지.

진분수: 분자가 분모보다 작은 분수
가분수: 분자가 분모와 같거나 분모보다 큰 분수

$\frac{3}{4}$은 진분수, $\frac{7}{5}$은 가분수예요.

🐻 진분수는 '진', 가분수는 '가', 대분수는 '대'를 쓰세요.

1-1 $\frac{8}{7}$ ⇨ ☐

1-2 $\frac{4}{9}$ ⇨ ☐

1-3 $1\frac{1}{6}$ ⇨ ☐

🐻 보기 를 보고 그림을 대분수로 나타내어 보세요.

2-1 보기

☐

2-2 보기

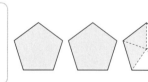

☐

3-2 대분수는 가분수로, 가분수는 대분수로 나타내기

$1\frac{1}{4}$을 가분수로 나타내야 라면을 먹을 수 있단다.

1은 $\frac{4}{4}$와 같으니까 $1\frac{1}{4}=\frac{5}{4}$예요.

맛있겠다...

가분수 $\frac{6}{5}$을 대분수로 나타내어 볼까?

$\frac{5}{5}$는 1이니까 $\frac{6}{5}=1\frac{1}{5}$이야.

$$\frac{6}{5} \begin{cases} \frac{5}{5}=1 \\ \frac{1}{5} \end{cases} \Rightarrow 1\frac{1}{5}$$

 대분수는 가분수로, 가분수는 대분수로 나타내어 보세요.

3-1

대분수	$1\frac{2}{5}$	$1\frac{4}{7}$
	⇩	⇩
가분수		

3-2

대분수	$2\frac{1}{6}$	$2\frac{3}{8}$
	⇩	⇩
가분수		

3-3

가분수	$\frac{8}{5}$	$\frac{9}{6}$
	⇩	⇩
대분수		

3-4

가분수	$\frac{11}{9}$	$\frac{7}{4}$
	⇩	⇩
대분수		

받아올림이 없는 (진분수)＋(진분수)

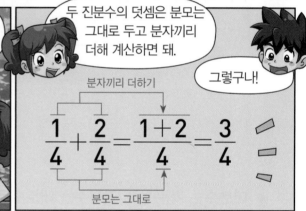

똑똑한 하루 계산법

- 받아올림이 없는 $\dfrac{1}{4}+\dfrac{2}{4}$의 계산

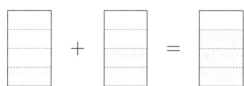

분자끼리 더하기

$$\dfrac{1}{4}+\dfrac{2}{4}=\dfrac{1+2}{4}=\dfrac{3}{4}$$

분모는 그대로

분모는 그대로 두고
분자끼리 더합니다.

○✕ 퀴즈

계산이 바르면 ○에,
틀리면 ✕에
○표 하세요.

$$\dfrac{2}{5}+\dfrac{1}{5}=\dfrac{3}{5}$$

○   ✕

정답 ○에 ○표

제한 시간 3분

🐻 계산해 보세요.

① $\dfrac{1}{6} + \dfrac{4}{6} = \dfrac{1+\boxed{}}{6} = \dfrac{\boxed{}}{\boxed{}}$

② $\dfrac{3}{8} + \dfrac{2}{8} = \dfrac{3+\boxed{}}{8} = \dfrac{\boxed{}}{\boxed{}}$

③ $\dfrac{3}{7} + \dfrac{1}{7} = \dfrac{3+\boxed{}}{7} = \dfrac{\boxed{}}{\boxed{}}$

④ $\dfrac{5}{11} + \dfrac{3}{11} = \dfrac{5+\boxed{}}{11} = \dfrac{\boxed{}}{\boxed{}}$

⑤ $\dfrac{2}{5} + \dfrac{2}{5}$

⑥ $\dfrac{3}{9} + \dfrac{4}{9}$

⑦ $\dfrac{2}{8} + \dfrac{5}{8}$

⑧ $\dfrac{4}{11} + \dfrac{2}{11}$

⑨ $\dfrac{2}{7} + \dfrac{4}{7}$

⑩ $\dfrac{5}{13} + \dfrac{4}{13}$

⑪ $\dfrac{5}{10} + \dfrac{3}{10}$

⑫ $\dfrac{7}{12} + \dfrac{2}{12}$

1주
1일

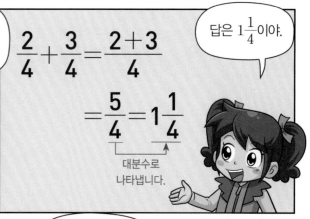

똑똑한 하루 계산법

• 받아올림이 있는 $\frac{2}{4}+\frac{3}{4}$의 계산

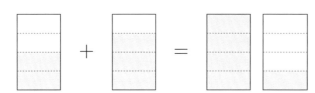

분자끼리 더하기

$$\frac{2}{4}+\frac{3}{4}=\frac{2+3}{4}=\frac{5}{4}=1\frac{1}{4}$$

분모는 그대로 　　가분수를 대분수로 바꿉니다.

계산 결과가 가분수이면 대분수로 나타냅니다.

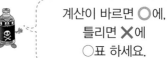

○✕ 퀴즈

계산이 바르면 ○에, 틀리면 ✕에 ○표 하세요.

$$\frac{3}{5}+\frac{3}{5}=\frac{3+3}{5+5}$$
$$=\frac{6}{10}$$

○　　　✕

정답 ✕에 ○표

똑똑한 계산 연습

🐻 계산해 보세요.

① $\dfrac{3}{5}+\dfrac{4}{5}=\dfrac{3+\boxed{}}{5}=\dfrac{\boxed{}}{5}=\boxed{}\dfrac{\boxed{}}{5}$

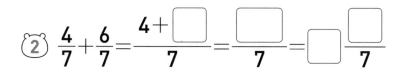

분모는 그대로 두고
분자끼리 더해요.
계산 결과가 가분수이면
대분수로 나타내요.

② $\dfrac{4}{7}+\dfrac{6}{7}=\dfrac{4+\boxed{}}{7}=\dfrac{\boxed{}}{7}=\boxed{}\dfrac{\boxed{}}{7}$

③ $\dfrac{4}{6}+\dfrac{3}{6}$

④ $\dfrac{5}{9}+\dfrac{6}{9}$

⑤ $\dfrac{4}{8}+\dfrac{7}{8}$

⑥ $\dfrac{5}{10}+\dfrac{8}{10}$

⑦ $\dfrac{3}{4}+\dfrac{3}{4}$

⑧ $\dfrac{7}{11}+\dfrac{6}{11}$

⑨ $\dfrac{9}{15}+\dfrac{10}{15}$

⑩ $\dfrac{4}{12}+\dfrac{9}{12}$

기초 집중 연습

🐻 수직선을 보고 ☐ 안에 알맞은 수를 써넣으세요.

1-1

$$\frac{2}{6} \qquad \frac{3}{6}$$

0 ———————————— 1

$$\frac{2}{6} + \frac{3}{6} = \frac{\boxed{}}{\boxed{}}$$

1-2

$$\frac{1}{5} \qquad \frac{2}{5}$$

0 ———————————— 1

$$\frac{1}{5} + \frac{2}{5} = \frac{\boxed{}}{\boxed{}}$$

1-3

$$\frac{3}{8} \qquad \frac{4}{8}$$

0 ———————————— 1

$$\frac{3}{8} + \frac{4}{8} = \frac{\boxed{}}{\boxed{}}$$

1-4

$$\frac{2}{9} \qquad \frac{5}{9}$$

0 ———————————— 1

$$\frac{2}{9} + \frac{5}{9} = \frac{\boxed{}}{\boxed{}}$$

🐻 빈칸에 알맞은 분수를 써넣으세요.

2-1

$$\frac{5}{6} \quad + \frac{5}{6} \quad \boxed{}$$

2-2

$$\frac{6}{7} \quad + \frac{5}{7} \quad \boxed{}$$

2-3

$$\frac{6}{9} \quad + \frac{7}{9} \quad \boxed{}$$

2-4

$$\frac{7}{12} \quad + \frac{6}{12} \quad \boxed{}$$

생활 속 계산

🐻 두 물감을 섞어 만들어지는 초록색 물감은 몇 L인지 구하세요.

3-1

$$\frac{4}{9}+\frac{3}{9}=\boxed{}\text{(L)}$$

3-2

$$\frac{3}{7}+\frac{3}{7}=\boxed{}\text{(L)}$$

3-3

$$\frac{9}{12}+\frac{7}{12}=\boxed{}\text{(L)}$$

3-4

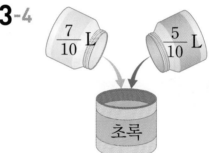

$$\frac{7}{10}+\frac{5}{10}=\boxed{}\text{(L)}$$

문장 읽고 계산식 세우기

4-1

파란색 끈 $\frac{1}{7}$ m, 초록색 끈 $\frac{4}{7}$ m가 있을 때, 두 끈의 길이의 합은 몇 m?

식 $\frac{1}{7}+\frac{4}{7}=\boxed{}$ (m)

4-2

노란색 끈 $\frac{5}{12}$ m, 분홍색 끈 $\frac{8}{12}$ m가 있을 때, 두 끈의 길이의 합은 몇 m?

식 $\frac{5}{12}+\boxed{}=\boxed{}$ (m)

1주
1일

받아올림이 없는 (대분수)＋(진분수)

똑똑한 하루 계산법

• 받아올림이 없는 $1\frac{1}{4} + \frac{2}{4}$ 의 계산

방법 1 **자연수는 그대로, 분수는 분수끼리** 계산하기

자연수 그대로

$$1\frac{1}{4} + \frac{2}{4} = 1 + \left(\frac{1}{4} + \frac{2}{4}\right) = 1 + \frac{3}{4} = 1\frac{3}{4}$$

분수끼리 더하기

방법 2 **대분수를 가분수로 바꾸어** 계산하기

$$1\frac{1}{4} + \frac{2}{4} = \frac{5}{4} + \frac{2}{4} = \frac{7}{4} = 1\frac{3}{4}$$

대분수를 가분수로 바꾸기

계산 결과는
대분수로
나타냅니다.

○✕ 퀴즈

계산이 바르면 ○에,
틀리면 ✕에
○표 하세요.

$$1\frac{1}{3} + \frac{1}{3} = 1\frac{2}{3}$$

 ○   ✕

정답 ○에 ○표

🐻 계산해 보세요.

① $1\dfrac{2}{5}+\dfrac{1}{5}=1+\left(\dfrac{2}{5}+\dfrac{\boxed{}}{5}\right)$

$=1+\dfrac{\boxed{}}{5}=1\dfrac{\boxed{}}{5}$

② $1\dfrac{3}{6}+\dfrac{2}{6}=\dfrac{9}{6}+\dfrac{\boxed{}}{6}$

$=\dfrac{\boxed{}}{6}=1\dfrac{\boxed{}}{6}$

③ $2\dfrac{2}{7}+\dfrac{3}{7}=2+\left(\dfrac{\boxed{}}{7}+\dfrac{3}{7}\right)$

$=2+\dfrac{\boxed{}}{7}=2\dfrac{\boxed{}}{7}$

④ $2\dfrac{1}{4}+\dfrac{2}{4}=\dfrac{9}{4}+\dfrac{\boxed{}}{4}$

$=\dfrac{\boxed{}}{4}=2\dfrac{\boxed{}}{4}$

⑤ $1\dfrac{1}{7}+\dfrac{4}{7}$

⑥ $2\dfrac{3}{9}+\dfrac{2}{9}$

⑦ $2\dfrac{3}{8}+\dfrac{3}{8}$

⑧ $3\dfrac{1}{6}+\dfrac{4}{6}$

⑨ $2\dfrac{5}{10}+\dfrac{2}{10}$

⑩ $1\dfrac{5}{12}+\dfrac{4}{12}$

1주
2일

받아올림이 없는 (대분수)＋(대분수)

똑똑한 하루 계산법

- 받아올림이 없는 $2\frac{2}{4}+1\frac{1}{4}$의 계산

방법 1 자연수는 자연수끼리, 분수는 분수끼리 계산하기

$$2\frac{2}{4}+1\frac{1}{4}=(2+1)+\left(\frac{2}{4}+\frac{1}{4}\right)=3+\frac{3}{4}=3\frac{3}{4}$$

자연수는 자연수끼리

분수는 분수끼리

방법 2 대분수를 가분수로 바꾸어 계산하기

$$2\frac{2}{4}+1\frac{1}{4}=\frac{10}{4}+\frac{5}{4}=\frac{15}{4}=3\frac{3}{4}$$

계산 결과는 대분수로 나타냅니다.

계산해 보세요.

① $1\dfrac{2}{5}+2\dfrac{1}{5}=(1+2)+\left(\dfrac{2}{5}+\dfrac{\square}{5}\right)=3+\dfrac{\square}{5}=3\dfrac{\square}{5}$

② $1\dfrac{3}{6}+1\dfrac{2}{6}=\dfrac{9}{6}+\dfrac{\square}{6}=\dfrac{\square}{6}=\square\dfrac{\square}{6}$

③ $3\dfrac{2}{6}+1\dfrac{3}{6}$

④ $2\dfrac{4}{9}+3\dfrac{2}{9}$

⑤ $2\dfrac{1}{8}+1\dfrac{5}{8}$

⑥ $5\dfrac{4}{11}+2\dfrac{3}{11}$

⑦ $3\dfrac{7}{12}+4\dfrac{3}{12}$

⑧ $4\dfrac{2}{7}+2\dfrac{3}{7}$

⑨ $1\dfrac{7}{14}+5\dfrac{2}{14}$

⑩ $3\dfrac{4}{8}+5\dfrac{2}{8}$

기초 집중 연습

🐻 두 분수의 합을 빈칸에 써넣으세요.

1-1

$1\dfrac{3}{7}$	$\dfrac{1}{7}$

1-2

$2\dfrac{3}{9}$	$\dfrac{4}{9}$

1-3

$2\dfrac{2}{8}$	$3\dfrac{4}{8}$

1-4

$3\dfrac{5}{10}$	$4\dfrac{2}{10}$

🐻 빈칸에 알맞은 분수를 써넣으세요.

2-1

$2\dfrac{5}{11}$ $+\dfrac{4}{11}$

2-2

$3\dfrac{4}{12}$ $+\dfrac{6}{12}$

2-3

$2\dfrac{1}{8}$ $+4\dfrac{3}{8}$

2-4

$5\dfrac{5}{14}$ $+2\dfrac{7}{14}$

제한 시간 | 10분

생활 속 계산

🐻 집에서 건물을 지나 공원까지의 거리는 몇 km인지 구하세요.

3-1

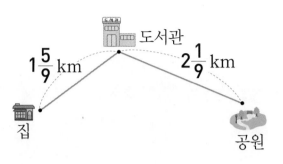

$$1\frac{5}{9}+2\frac{1}{9}=\boxed{}\text{(km)}$$

3-2

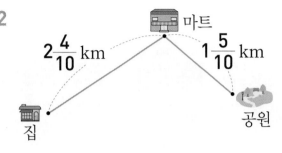

$$2\frac{4}{10}+1\frac{5}{10}=\boxed{}\text{(km)}$$

3-3

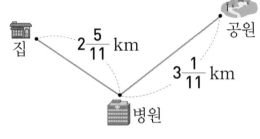

$$\boxed{}\text{km}$$

3-4

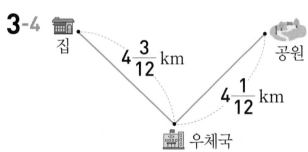

$$\boxed{}\text{km}$$

1주
2일

문장 읽고 계산식 세우기

4-1

소고기 $1\frac{4}{7}$ kg, 돼지고기 $\frac{2}{7}$ kg의 무게의 합은 몇 kg?

식 $1\frac{4}{7}+\boxed{}=\boxed{}\text{(kg)}$

4-2

고구마 $2\frac{4}{9}$ kg, 감자 $1\frac{3}{9}$ kg의 무게의 합은 몇 kg?

식 $2\frac{4}{9}+\boxed{}=\boxed{}\text{(kg)}$

받아올림이 있는 (대분수)+(진분수)

$$2\frac{2}{4}+\frac{3}{4}=\frac{10}{4}+\frac{3}{4}=\frac{13}{4}=3\frac{1}{4}$$

똑똑한 하루 계산법

- 받아올림이 있는 $2\frac{2}{4}+\frac{3}{4}$의 계산

방법 1 자연수는 그대로, 분수는 분수끼리 계산하기

$$2\frac{2}{4}+\frac{3}{4}=2+\left(\frac{2}{4}+\frac{3}{4}\right)=2+\frac{5}{4}$$

$$=2+1\frac{1}{4}=3\frac{1}{4}$$

방법 2 대분수를 가분수로 바꾸어 계산하기

$$2\frac{2}{4}+\frac{3}{4}=\frac{10}{4}+\frac{3}{4}=\frac{13}{4}=3\frac{1}{4}$$

계산 결과는 대분수로 나타냅니다.

○× 퀴즈

계산이 바르면 ○에, 틀리면 ✕에 ○표 하세요.

$$2\frac{4}{6}+\frac{3}{6}=2\frac{1}{6}$$

 ○   ✕

정답 ✕에 ○표

🐻 계산해 보세요.

① $2\dfrac{4}{7} + \dfrac{5}{7} = 2 + \left(\dfrac{4}{7} + \dfrac{\square}{7} \right) = 2 + \dfrac{\square}{7} = 2 + \dfrac{\square}{7} = \square\dfrac{\square}{7}$

② $1\dfrac{3}{5} + \dfrac{3}{5} = \dfrac{8}{5} + \dfrac{\square}{5} = \dfrac{\square}{5} = \square\dfrac{\square}{5}$

③ $3\dfrac{4}{5} + \dfrac{2}{5}$

④ $4\dfrac{7}{9} + \dfrac{5}{9}$

⑤ $2\dfrac{4}{10} + \dfrac{8}{10}$

⑥ $5\dfrac{5}{7} + \dfrac{6}{7}$

⑦ $3\dfrac{7}{10} + \dfrac{6}{10}$

⑧ $6\dfrac{8}{11} + \dfrac{5}{11}$

⑨ $5\dfrac{9}{12} + \dfrac{4}{12}$

⑩ $2\dfrac{6}{14} + \dfrac{9}{14}$

받아올림이 있는 (대분수)＋(대분수)

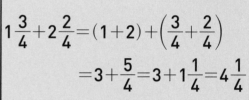

똑똑한 하루 계산법

• 받아올림이 있는 $1\frac{3}{4}+2\frac{2}{4}$의 계산

방법 1 자연수는 자연수끼리, 분수는 분수끼리 계산하기

$$1\frac{3}{4}+2\frac{2}{4}=(1+2)+\left(\frac{3}{4}+\frac{2}{4}\right)=3+\frac{5}{4}=3+1\frac{1}{4}=4\frac{1}{4}$$

자연수는 자연수끼리

분수는 분수끼리

방법 2 대분수를 가분수로 바꾸어 계산하기

$$1\frac{3}{4}+2\frac{2}{4}=\frac{7}{4}+\frac{10}{4}=\frac{17}{4}=4\frac{1}{4}$$

계산 결과는
대분수로 나타냅니다.

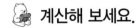 계산해 보세요.

① $2\dfrac{4}{6}+1\dfrac{3}{6}=(2+1)+\left(\dfrac{4}{6}+\dfrac{3}{6}\right)=3+\dfrac{\square}{6}=3+\dfrac{\square\ \square}{6}=\dfrac{\square\ \square}{6}$

② $1\dfrac{4}{7}+2\dfrac{5}{7}=\dfrac{11}{7}+\dfrac{\square\ \square}{7}=\dfrac{\square\ \square}{7}=\square\dfrac{\square}{7}$

③ $3\dfrac{5}{9}+1\dfrac{6}{9}$

④ $5\dfrac{4}{8}+2\dfrac{6}{8}$

⑤ $4\dfrac{5}{10}+3\dfrac{9}{10}$

⑥ $2\dfrac{8}{15}+1\dfrac{10}{15}$

⑦ $3\dfrac{8}{11}+2\dfrac{6}{11}$

⑧ $5\dfrac{7}{12}+1\dfrac{9}{12}$

⑨ $2\dfrac{8}{14}+2\dfrac{7}{14}$

⑩ $4\dfrac{6}{13}+3\dfrac{12}{13}$

3^일

기초 집중 연습

🐻 빈칸에 알맞은 분수를 써넣으세요.

1-1

$$1\frac{5}{9} \rightarrow +\frac{6}{9} \rightarrow \boxed{}$$

1-2

$$2\frac{4}{8} \rightarrow +\frac{7}{8} \rightarrow \boxed{}$$

1-3

$$3\frac{6}{10} \rightarrow +\frac{9}{10} \rightarrow \boxed{}$$

1-4

$$2\frac{8}{11} \rightarrow +\frac{5}{11} \rightarrow \boxed{}$$

🐻 그림을 보고 ☐ 안에 알맞은 분수를 써넣으세요.

2-1

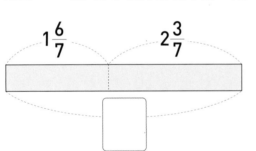

$$1\frac{6}{7} \qquad 2\frac{3}{7}$$

2-2

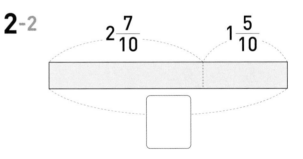

$$2\frac{7}{10} \qquad 1\frac{5}{10}$$

2-3

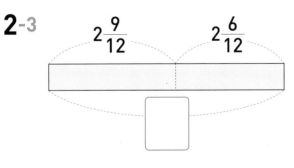

$$2\frac{9}{12} \qquad 2\frac{6}{12}$$

2-4

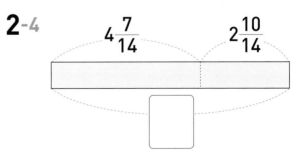

$$4\frac{7}{14} \qquad 2\frac{10}{14}$$

생활 속 계산

🐻 동물 사료의 무게가 다음과 같습니다. 두 사료의 무게의 합을 구하세요.

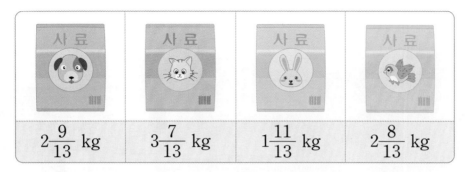

$2\dfrac{9}{13}$ kg $3\dfrac{7}{13}$ kg $1\dfrac{11}{13}$ kg $2\dfrac{8}{13}$ kg

3-1 🐶 + 🐰 = ☐ (kg)

3-2 🐱 + 🐦 = ☐ (kg)

3-3 🐦 + 🐶 = ☐ (kg)

3-4 🐰 + 🐱 = ☐ (kg)

문장 읽고 계산식 세우기

4-1 일주일 동안 우유를 은주는 $1\dfrac{6}{10}$ L, 영규는 $\dfrac{9}{10}$ L 마셨을 때, 두 사람이 마신 우유는 몇 L?

식 $1\dfrac{6}{10} +$ ☐ $=$ ☐ (L)

4-2 일주일 동안 주스를 라희는 $1\dfrac{5}{11}$ L, 민석이는 $1\dfrac{7}{11}$ L 마셨을 때, 두 사람이 마신 주스는 몇 L?

식 $1\dfrac{5}{11} +$ ☐ $=$ ☐ (L)

1주
3일

4일 받아올림이 없는 세 진분수의 덧셈

아무도 없네?

그럼 오늘은 나 혼자 문제를 해결해 볼까?

의뢰 보관함

으아악~ 엉뚱이 살려~.

문제해결 수학탐정 사무소

무슨 일이야?

세 진분수의 덧셈 문제를 풀다가 두통이 생겼어!

의뢰 보관함

휴~ 분모는 그대로 두고 분자끼리 더하면 되잖아.

하하~ 그렇구나.

$$\frac{2}{8} + \frac{1}{8} + \frac{3}{8} = \frac{2+1+3}{8} = \frac{6}{8}$$

똑똑한 하루 계산법

• 받아올림이 없는 $\dfrac{2}{8} + \dfrac{1}{8} + \dfrac{3}{8}$ 의 계산

$$\frac{2}{8} + \frac{1}{8} + \frac{3}{8} = \frac{2+1+3}{8} = \frac{6}{8}$$

분모는 그대로 두고 분자끼리 더합니다.

참고

• 세 분수의 덧셈은 앞에서부터 두 수씩 차례로 계산할 수 있습니다.

$$\frac{2}{8} + \frac{1}{8} + \frac{3}{8} = \frac{3}{8} + \frac{3}{8}$$
$$\underset{①}{} \qquad = \frac{6}{8}$$
$$\underset{②}{}$$

앞에서부터 두 수씩 차례로 계산합니다.

○✕ 퀴즈

계산이 바르면 ○에, 틀리면 ✕에 ○표 하세요.

$$\frac{1}{6} + \frac{1}{6} + \frac{2}{6} = \frac{4}{18}$$

○   ✕

정답 ✕에 ○표

🐻 계산해 보세요.

① $\dfrac{2}{9}+\dfrac{3}{9}+\dfrac{3}{9}=\dfrac{2+\boxed{}+\boxed{}}{9}=\dfrac{\boxed{}}{9}$

분모는 그대로 두고
분자끼리 더해요.

② $\dfrac{4}{12}+\dfrac{2}{12}+\dfrac{3}{12}=\dfrac{4+\boxed{}+\boxed{}}{12}=\dfrac{\boxed{}}{12}$

③ $\dfrac{1}{7}+\dfrac{2}{7}+\dfrac{2}{7}$

④ $\dfrac{4}{10}+\dfrac{2}{10}+\dfrac{1}{10}$

⑤ $\dfrac{4}{11}+\dfrac{3}{11}+\dfrac{2}{11}$

⑥ $\dfrac{5}{13}+\dfrac{3}{13}+\dfrac{3}{13}$

⑦ $\dfrac{3}{15}+\dfrac{6}{15}+\dfrac{1}{15}$

⑧ $\dfrac{4}{20}+\dfrac{6}{20}+\dfrac{7}{20}$

⑨ $\dfrac{6}{14}+\dfrac{2}{14}+\dfrac{3}{14}$

⑩ $\dfrac{8}{27}+\dfrac{5}{27}+\dfrac{9}{27}$

1주
4일

받아올림이 없는 세 분수의 덧셈

똑똑한 하루 계산법

- 받아올림이 없는 $1\frac{1}{8} + \frac{4}{8} + 2\frac{2}{8}$의 계산

방법 1 자연수는 자연수끼리, 분수는 분수끼리 계산하기

$$1\frac{1}{8} + \frac{4}{8} + 2\frac{2}{8} = (1+2) + \left(\frac{1}{8} + \frac{4}{8} + \frac{2}{8}\right)$$

$$= 3 + \frac{7}{8} = 3\frac{7}{8}$$

자연수는 자연수끼리 분수는 분수끼리 계산합니다.

방법 2 대분수를 가분수로 바꾸어 계산하기

$$1\frac{1}{8} + \frac{4}{8} + 2\frac{2}{8} = \frac{9}{8} + \frac{4}{8} + \frac{18}{8} = \frac{31}{8} = 3\frac{7}{8}$$

계산 결과는 대분수로 나타냅니다.

계산해 보세요.

① $1\dfrac{2}{9} + 2\dfrac{3}{9} + \dfrac{1}{9} = (1 + \boxed{}) + \left(\dfrac{2}{9} + \dfrac{3}{9} + \dfrac{\boxed{}}{9}\right) = \boxed{} + \dfrac{\boxed{}}{9} = \boxed{}\dfrac{\boxed{}}{9}$

② $2\dfrac{1}{10} + \dfrac{2}{10} + 2\dfrac{3}{10} = \dfrac{21}{10} + \dfrac{\boxed{}}{10} + \dfrac{23}{10} = \dfrac{\boxed{}}{10} = \boxed{}\dfrac{\boxed{}}{10}$

③ $\dfrac{3}{12} + 1\dfrac{4}{12} + 2\dfrac{1}{12}$

④ $5\dfrac{3}{11} + \dfrac{2}{11} + 1\dfrac{4}{11}$

⑤ $\dfrac{2}{8} + 4\dfrac{1}{8} + 2\dfrac{3}{8}$

⑥ $2\dfrac{4}{15} + 1\dfrac{3}{15} + \dfrac{2}{15}$

⑦ $3\dfrac{5}{10} + \dfrac{1}{10} + 3\dfrac{1}{10}$

⑧ $6\dfrac{2}{14} + \dfrac{3}{14} + 1\dfrac{5}{14}$

⑨ $6\dfrac{4}{13} + 2\dfrac{5}{13} + \dfrac{3}{13}$

⑩ $\dfrac{3}{25} + 4\dfrac{8}{25} + 5\dfrac{6}{25}$

기초 집중 연습

 세 분수의 합을 구하세요.

1-1

$$\frac{2}{11} \qquad \frac{4}{11} \qquad \frac{3}{11}$$

1-2

$$\frac{4}{16} \qquad \frac{7}{16} \qquad \frac{2}{16}$$

1-3

$$4\frac{2}{14} \qquad \frac{3}{14} \qquad 2\frac{1}{14}$$

1-4

$$2\frac{3}{12} \qquad 2\frac{4}{12} \qquad \frac{2}{12}$$

 빈칸에 알맞은 분수를 써넣으세요.

2-1

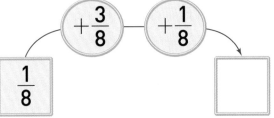

2-2

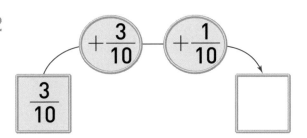

2-3

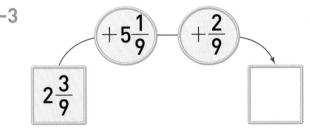

2-4

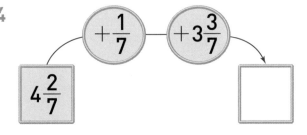

생활 속 계산

🐻 수조에 물을 더 부으면 모두 몇 L가 되는지 구하세요.

3-1

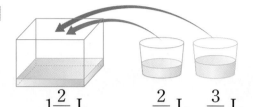

$1\dfrac{2}{9}$ L $\dfrac{2}{9}$ L $\dfrac{3}{9}$ L

$$1\dfrac{2}{9}+\dfrac{2}{9}+\dfrac{3}{9}=\boxed{}\ (L)$$

3-2

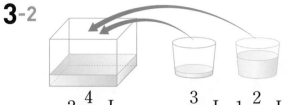

$2\dfrac{4}{10}$ L $\dfrac{3}{10}$ L $1\dfrac{2}{10}$ L

$$2\dfrac{4}{10}+\dfrac{3}{10}+1\dfrac{2}{10}=\boxed{}\ (L)$$

3-3

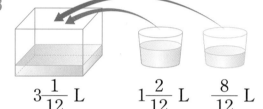

$3\dfrac{1}{12}$ L $1\dfrac{2}{12}$ L $\dfrac{8}{12}$ L

 L

3-4

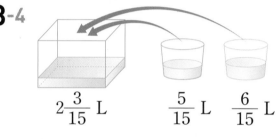

$2\dfrac{3}{15}$ L $\dfrac{5}{15}$ L $\dfrac{6}{15}$ L

$\boxed{}$ L

1주
4일

문장 읽고 계산식 세우기

4-1

리본 끈을 선주는 $1\dfrac{1}{7}$ m, 소연이는 $\dfrac{2}{7}$ m, 윤주는 $1\dfrac{3}{7}$ m 사용했을 때, 세 사람이 사용한 길이는 몇 m?

식 $\quad 1\dfrac{1}{7}+\dfrac{2}{7}+\boxed{}=\boxed{}$ (m)

4-2

리본 끈을 선영이는 $1\dfrac{2}{6}$ m, 유경이는 $1\dfrac{1}{6}$ m, 형규는 $\dfrac{2}{6}$ m 사용했을 때, 세 사람이 사용한 길이는 몇 m?

식 $\quad 1\dfrac{2}{6}+1\dfrac{1}{6}+\boxed{}=\boxed{}$ (m)

받아올림이 있는 세 진분수의 덧셈

똑똑한 하루 계산법

• 받아올림이 있는 $\dfrac{3}{7}+\dfrac{4}{7}+\dfrac{5}{7}$의 계산

$$\dfrac{3}{7}+\dfrac{4}{7}+\dfrac{5}{7}=\dfrac{3+4+5}{7}$$

(분자끼리 더하기)
(분모는 그대로)

$$=\dfrac{12}{7}=1\dfrac{5}{7}$$

계산 결과는 대분수로 나타냅니다.

참고

• 앞에서부터 차례로 계산하기

$$\dfrac{3}{7}+\dfrac{4}{7}+\dfrac{5}{7}=\dfrac{7}{7}+\dfrac{5}{7}=1+\dfrac{5}{7}=1\dfrac{5}{7}$$

○✕ 퀴즈

계산이 바르면 ○에, 틀리면 ✕에 ○표 하세요.

$$\dfrac{2}{6}+\dfrac{4}{6}+\dfrac{3}{6}=1\dfrac{3}{6}$$

○　　　✕

정답 ○에 ○표

🐻 계산해 보세요.

① $\dfrac{2}{5}+\dfrac{3}{5}+\dfrac{4}{5}=\dfrac{2+\boxed{}+\boxed{}}{5}=\dfrac{\boxed{}}{5}=\boxed{}\dfrac{\boxed{}}{5}$

② $\dfrac{5}{6}+\dfrac{2}{6}+\dfrac{3}{6}=\dfrac{5+\boxed{}+\boxed{}}{6}=\dfrac{\boxed{}}{6}=\boxed{}\dfrac{\boxed{}}{6}$

③ $\dfrac{4}{10}+\dfrac{5}{10}+\dfrac{7}{10}$

④ $\dfrac{4}{11}+\dfrac{6}{11}+\dfrac{7}{11}$

⑤ $\dfrac{2}{4}+\dfrac{1}{4}+\dfrac{3}{4}$

⑥ $\dfrac{4}{7}+\dfrac{5}{7}+\dfrac{1}{7}$

⑦ $\dfrac{4}{12}+\dfrac{8}{12}+\dfrac{6}{12}$

⑧ $\dfrac{2}{3}+\dfrac{1}{3}+\dfrac{2}{3}$

⑨ $\dfrac{8}{15}+\dfrac{4}{15}+\dfrac{5}{15}$

⑩ $\dfrac{7}{13}+\dfrac{10}{13}+\dfrac{4}{13}$

받아올림이 있는 세 분수의 덧셈

그런데 아직도 슬프니?

네……

그럼 삼촌이 다른 문제도 알려줄까?

$1\frac{2}{6}+\frac{4}{6}+2\frac{3}{6}$ 은 자연수는 자연수끼리 분수는 분수끼리 계산하면 된단다.

흑흑, 그렇군요……

$$1\frac{2}{6}+\frac{4}{6}+2\frac{3}{6}=(1+2)+\left(\frac{2}{6}+\frac{4}{6}+\frac{3}{6}\right)$$
$$=3+\frac{9}{6}=3+1\frac{3}{6}=4\frac{3}{6}$$

뭐야? 삼촌이 다 해결해줬는데 왜 아직도 슬픈 거야?

삼촌이 뭘 해결해 줬는데요?

수학 문제 두 개나 알려줬잖아.

전 그것 때문에 슬픈게 아니라고요!

아이스크림이 너무 빨리 녹아서 슬픈 거예요. 흑흑~.

똑똑한 하루 계산법

• 받아올림이 있는 $1\frac{2}{6}+\frac{4}{6}+2\frac{3}{6}$ 의 계산

방법 1 자연수는 자연수끼리, 분수는 분수끼리 계산하기

$$1\frac{2}{6}+\frac{4}{6}+2\frac{3}{6}=(1+2)+\left(\frac{2}{6}+\frac{4}{6}+\frac{3}{6}\right)$$

$$=3+\frac{9}{6}=3+1\frac{3}{6}=4\frac{3}{6}$$

분수끼리의 합이 가분수이면 대분수로 나타내어 계산해요.

방법 2 대분수를 가분수로 바꾸어 계산하기

$$1\frac{2}{6}+\frac{4}{6}+2\frac{3}{6}=\frac{8}{6}+\frac{4}{6}+\frac{15}{6}=\frac{27}{6}=4\frac{3}{6}$$

계산 결과는 대분수로 나타냅니다.

🐻 계산해 보세요.

① $2\dfrac{2}{5}+1\dfrac{3}{5}+\dfrac{4}{5}=(2+1)=\left(\dfrac{2}{5}+\dfrac{3}{5}+\dfrac{\square}{5}\right)=3+\dfrac{\square}{5}$

$=3+\square\dfrac{\square}{5}=\square\dfrac{\square}{5}$

② $1\dfrac{3}{7}+\dfrac{5}{7}+3\dfrac{2}{7}=\dfrac{10}{7}+\dfrac{\square}{7}+\dfrac{23}{7}=\dfrac{\square}{7}=\square\dfrac{\square}{7}$

③ $\dfrac{5}{8}+2\dfrac{3}{8}+4\dfrac{6}{8}$

④ $3\dfrac{5}{7}+2\dfrac{3}{7}+\dfrac{6}{7}$

⑤ $4\dfrac{1}{4}+\dfrac{3}{4}+5\dfrac{2}{4}$

⑥ $6\dfrac{3}{9}+\dfrac{5}{9}+1\dfrac{6}{9}$

⑦ $6\dfrac{4}{10}+3\dfrac{5}{10}+\dfrac{7}{10}$

⑧ $2\dfrac{4}{12}+\dfrac{8}{12}+2\dfrac{9}{12}$

⑨ $4\dfrac{8}{15}+6\dfrac{9}{15}+\dfrac{2}{15}$

⑩ $\dfrac{8}{13}+5\dfrac{6}{13}+4\dfrac{2}{13}$

1주
5일

🐻 세 분수의 합을 구하세요.

1-1

1-2

🐻 빈칸에 알맞은 분수를 써넣으세요.

2-1

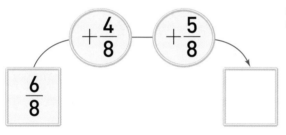

2-2

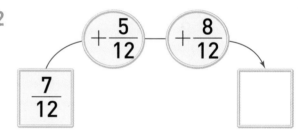

2-3

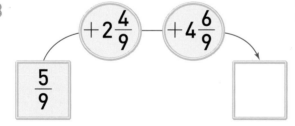

2-4

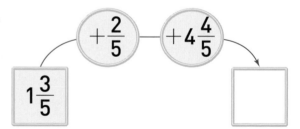

생활 속 계산

🐻 텃밭에서 수확한 감자, 고구마, 양파는 모두 몇 kg인지 구하세요.

3-1

푸른 텃밭

감자

고구마

양파

$2\frac{1}{7}$ kg $1\frac{4}{7}$ kg $\frac{6}{7}$ kg

$$2\frac{1}{7} + 1\frac{4}{7} + \frac{6}{7} = \boxed{} \text{(kg)}$$

3-2

보람 텃밭

감자

고구마

양파

$\frac{9}{11}$ kg $2\frac{7}{11}$ kg $3\frac{5}{11}$ kg

$$\frac{9}{11} + 2\frac{7}{11} + 3\frac{5}{11} = \boxed{} \text{(kg)}$$

1주 5일

문장 읽고 계산식 세우기

4-1

감자를 윤정이는 $1\frac{4}{5}$ kg, 민주는 $2\frac{1}{5}$ kg, 은수는 $\frac{3}{5}$ kg 캤을 때, 세 사람이 캔 감자는 모두 몇 kg?

식 $1\frac{4}{5} + 2\frac{1}{5} + \boxed{} = \boxed{}$ (kg)

4-2

고구마를 소정이는 $1\frac{2}{6}$ kg, 수지는 $\frac{3}{6}$ kg, 형국이는 $1\frac{5}{6}$ kg 캤을 때, 세 사람이 캔 고구마는 모두 몇 kg?

식 $1\frac{2}{6} + \frac{3}{6} + \boxed{} = \boxed{}$ (kg)

누구나 100점 맞는 TEST

🐻 계산해 보세요.

① $\dfrac{4}{7}+\dfrac{1}{7}$

② $\dfrac{5}{10}+\dfrac{2}{10}$

③ $\dfrac{9}{12}+\dfrac{3}{12}$

④ $\dfrac{8}{14}+\dfrac{9}{14}$

⑤ $\dfrac{8}{17}+\dfrac{10}{17}$

⑥ $1\dfrac{2}{9}+\dfrac{4}{9}$

⑦ $5\dfrac{3}{8}+\dfrac{3}{8}$

⑧ $3\dfrac{8}{13}+\dfrac{6}{13}$

⑨ $9\dfrac{4}{11}+\dfrac{10}{11}$

⑩ $8\dfrac{3}{6}+1\dfrac{1}{6}$

⑪ $4\dfrac{5}{8}+3\dfrac{2}{8}$

⑫ $6\dfrac{5}{9}+4\dfrac{7}{9}$

⑬ $2\dfrac{11}{15}+4\dfrac{6}{15}$

⑭ $7\dfrac{8}{10}+5\dfrac{6}{10}$

⑮ $\dfrac{2}{13}+\dfrac{5}{13}+\dfrac{4}{13}$

⑯ $\dfrac{6}{12}+\dfrac{8}{12}+\dfrac{4}{12}$

⑰ $1\dfrac{4}{16}+2\dfrac{3}{16}+\dfrac{2}{16}$

⑱ $4\dfrac{8}{21}+\dfrac{5}{21}+2\dfrac{3}{21}$

⑲ $5\dfrac{9}{14}+3\dfrac{7}{14}+\dfrac{10}{14}$

⑳ $\dfrac{13}{25}+2\dfrac{8}{25}+3\dfrac{12}{25}$

1주

평가

제한 시간 안에 정확하게
모두 풀었다면 여러분은 진정한 계산왕!

분리수거를 하자!

 꼼꼼이와 엉뚱이가 재활용 분리수거를 하고 있습니다.

 지난주와 이번 주에 모은 재활용 쓰레기는 모두 몇 kg일까요?

식 $1\dfrac{2}{6}+\boxed{}=\boxed{}$

답   _____ kg

▶ 정답 및 풀이 6쪽

보물 상자를 열어라!

 창의2 바다 속 난파된 배에서 보물 상자를 발견하였습니다.

힌트
상자를 열기 위해 열쇠 3개 중 2개를 사용해야 하는데 두 열쇠에 적힌 수의 합이 6 이어야 합니다.

1주

특강

① $3\frac{16}{24}$ ② $3\frac{8}{24}$ ③ $2\frac{16}{24}$

 힌트를 읽고 두 열쇠에 적힌 수의 합을 구하여 보물 상자를 열 수 있는 열쇠 2개를 알아봅니다.

①+②	②+③	①+③
$3\frac{16}{24}+3\frac{8}{24}=\boxed{}$	$3\frac{8}{24}+2\frac{16}{24}=\boxed{}$	$3\frac{16}{24}+2\frac{16}{24}=\boxed{}$

 보물 상자를 열 수 있는 열쇠는

$\boxed{}$ 와 $\boxed{}$ 입니다.

융합 3 충청남도 부여에는 백제 시대의 유적지가 많습니다. 다음을 보고 물음에 답하세요.

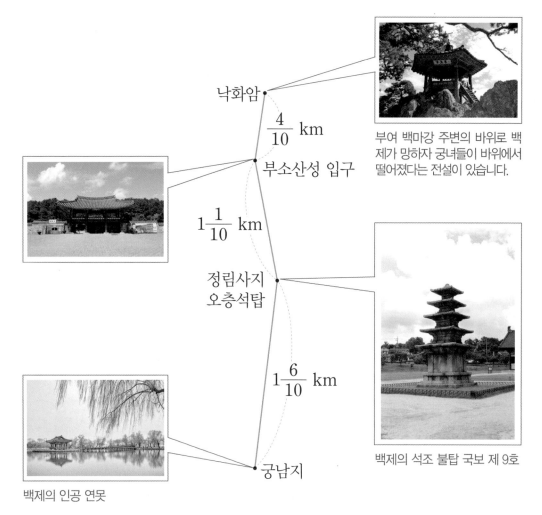

부여 백마강 주변의 바위로 백제가 망하자 궁녀들이 바위에서 떨어졌다는 전설이 있습니다.

백제의 석조 불탑 국보 제9호

백제의 인공 연못

(1) 낙화암에서 부소산성 입구를 지나 정림사지 오층석탑까지 이동한 거리는 몇 km 일까요?

답 _____ km

(2) 부소산성 입구에서 정림사지 오층석탑을 지나 궁남지까지 이동한 거리는 몇 km 일까요?

답 _____ km

창의 4 동주와 수아가 각각 의자 위에 올라가면 모두 몇 m가 되는지 구하세요.

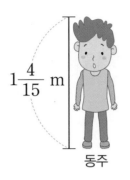

동주

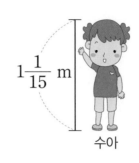

수아

$\dfrac{5}{15}$ m

답 동주: _____ m, 수아: _____ m

창의 5 농장에서 오늘 아침 젖소에게서 짠 우유의 양입니다. 우유의 양은 모두 몇 L인지 구하세요.

우유의 양을
모두 더해 봅니다.

$1\dfrac{2}{11}$ L $2\dfrac{5}{11}$ L $\dfrac{9}{11}$ L

답 _____ L

창의 **6** 갈림길 문제의 답을 따라가면 수현이의 집에 도착할 수 있습니다. 수현이의 집을 찾아 번호를 쓰세요.

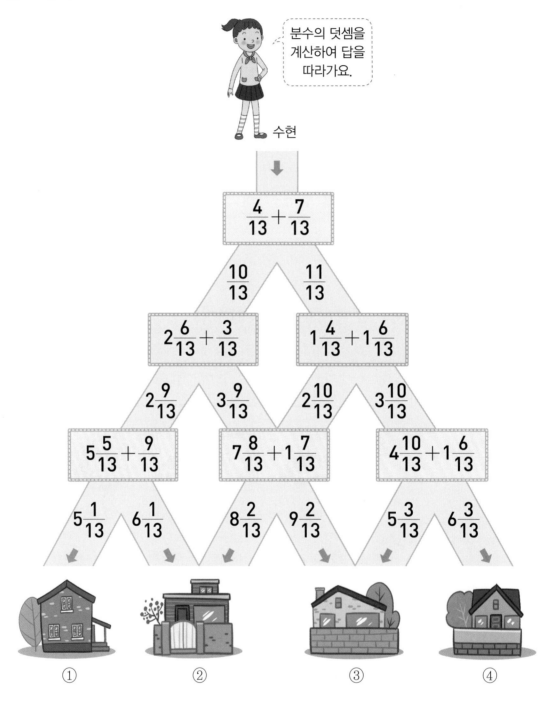

답 _____

코딩**7** 보기 와 같이 청소 로봇이 블록명령에 따라 움직이면서 지나가는 길에 놓인 카드를 줍습니다. 블록명령에 따라 주운 카드에 적힌 두 수의 합을 구하세요.

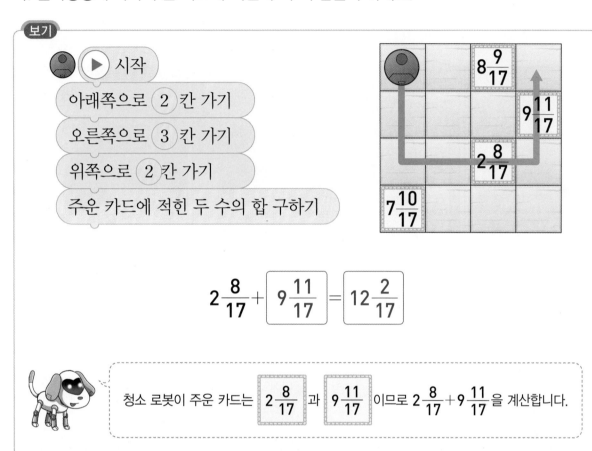

$$2\frac{8}{17} + \boxed{9\frac{11}{17}} = \boxed{12\frac{2}{17}}$$

청소 로봇이 주운 카드는 $\boxed{2\frac{8}{17}}$ 과 $\boxed{9\frac{11}{17}}$ 이므로 $2\frac{8}{17} + 9\frac{11}{17}$ 을 계산합니다.

1주

특강

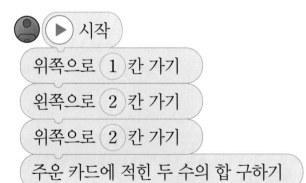

답 $\quad 4\frac{8}{13} + \boxed{} = \boxed{}$

2주 분수의 뺄셈

4-2 진분수의 덧셈

진분수의 덧셈은
분모는 그대로 두고
분자끼리 더해요.

계산 결과가 가분수이면
대분수로 나타내요.

🐻 계산해 보세요.

1-1 $\dfrac{1}{5}+\dfrac{3}{5}$

1-2 $\dfrac{4}{10}+\dfrac{5}{10}$

1-3 $\dfrac{3}{8}+\dfrac{6}{8}$

1-4 $\dfrac{7}{12}+\dfrac{10}{12}$

재미있게 똑똑해지네!

4-2 대분수의 덧셈

물을 떡볶이에 $1\frac{3}{8}$ L, 라면에 $1\frac{2}{8}$ L 사용했어. 사용한 물은 모두 몇 L일까?

이히히~ 떡볶이 많이 먹어야지!

난 라면!

$1\frac{3}{8}+1\frac{2}{8}=2\frac{5}{8}$ (L)예요.

대분수의 덧셈은 자연수는 자연수끼리, 분수는 분수끼리 계산해요.

대분수를 가분수로 나타내어 계산할 수도 있단다.

2주
1일

🐻 계산해 보세요.

2-1 $1\frac{3}{5}+2\frac{1}{5}$

2-2 $4\frac{1}{8}+2\frac{6}{8}$

2-3 $5\frac{7}{11}+2\frac{5}{11}$

2-4 $1\frac{6}{13}+2\frac{9}{13}$

진분수의 뺄셈 ①

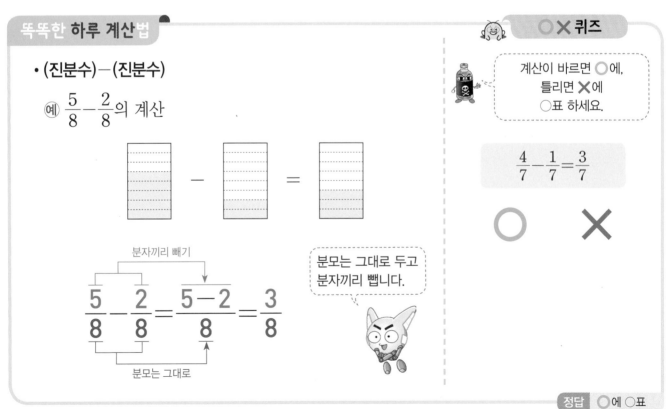

똑똑한 하루 계산법

○✕ 퀴즈

계산이 바르면 ○에,
틀리면 ✕에
○표 하세요.

• (진분수) − (진분수)

예 $\dfrac{5}{8} - \dfrac{2}{8}$ 의 계산

$$\boxed{} - \boxed{} = \boxed{}$$

$$\dfrac{4}{7} - \dfrac{1}{7} = \dfrac{3}{7}$$

○   ✕

분자끼리 빼기

$$\dfrac{5}{8} - \dfrac{2}{8} = \dfrac{5-2}{8} = \dfrac{3}{8}$$

분모는 그대로

분모는 그대로 두고
분자끼리 뺍니다.

정답 ○에 ○표

▶정답 및 풀이 7쪽

제한 시간 | 4분

🐻 계산해 보세요.

① $\dfrac{7}{8} - \dfrac{3}{8} = \dfrac{7-\square}{8} = \dfrac{\square}{\square}$

② $\dfrac{5}{7} - \dfrac{2}{7} = \dfrac{5-\square}{7} = \dfrac{\square}{\square}$

③ $\dfrac{4}{5} - \dfrac{2}{5} = \dfrac{4-\square}{5} = \dfrac{\square}{\square}$

④ $\dfrac{5}{9} - \dfrac{1}{9} = \dfrac{5-\square}{9} = \dfrac{\square}{\square}$

⑤ $\dfrac{3}{4} - \dfrac{1}{4}$

⑥ $\dfrac{5}{8} - \dfrac{3}{8}$

⑦ $\dfrac{2}{3} - \dfrac{1}{3}$

⑧ $\dfrac{5}{6} - \dfrac{4}{6}$

⑨ $\dfrac{5}{10} - \dfrac{2}{10}$

⑩ $\dfrac{10}{16} - \dfrac{8}{16}$

⑪ $\dfrac{7}{15} - \dfrac{5}{15}$

⑫ $\dfrac{14}{21} - \dfrac{6}{21}$

2주
1일

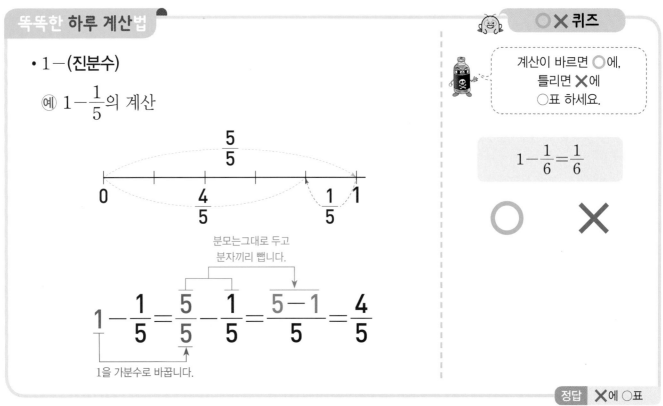

똑똑한 하루 계산법

- $1-$(진분수)

  예 $1-\dfrac{1}{5}$의 계산

  $$\dfrac{5}{5}$$

  $$0 \qquad \dfrac{4}{5} \qquad \dfrac{1}{5} \quad 1$$

  분모는 그대로 두고
  분자끼리 뺍니다.

  $$1-\dfrac{1}{5}=\dfrac{5}{5}-\dfrac{1}{5}=\dfrac{5-1}{5}=\dfrac{4}{5}$$

  1을 가분수로 바꿉니다.

○×퀴즈

계산이 바르면 ○에,
틀리면 ✗에
○표 하세요.

$$1-\dfrac{1}{6}=\dfrac{1}{6}$$

○　　✗

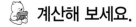 계산해 보세요.

① $1 - \dfrac{1}{7} = \dfrac{\square}{7} - \dfrac{1}{7} = \dfrac{\square}{7}$

② $1 - \dfrac{3}{9} = \dfrac{\square}{9} - \dfrac{3}{9} = \dfrac{\square}{9}$

③ $1 - \dfrac{2}{3} = \dfrac{\square}{3} - \dfrac{2}{3} = \dfrac{\square}{3}$

④ $1 - \dfrac{5}{10} = \dfrac{\square}{10} - \dfrac{5}{10} = \dfrac{\square}{10}$

⑤ $1 - \dfrac{1}{8}$

⑥ $1 - \dfrac{3}{7}$

⑦ $1 - \dfrac{6}{9}$

⑧ $1 - \dfrac{3}{10}$

⑨ $1 - \dfrac{3}{11}$

⑩ $1 - \dfrac{11}{15}$

⑪ $1 - \dfrac{6}{13}$

⑫ $1 - \dfrac{17}{21}$

2주
1일

• 53

🐻 수직선을 보고 ⬜ 안에 알맞은 분수를 써넣으세요.

1-1

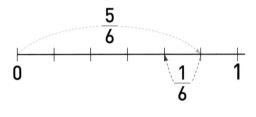

$$\frac{5}{6} - \frac{1}{6} = \boxed{}$$

1-2

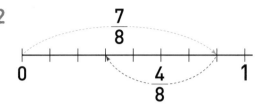

$$\frac{7}{8} - \frac{4}{8} = \boxed{}$$

1-3

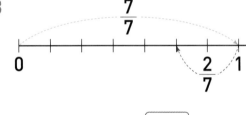

$$1 - \frac{2}{7} = \boxed{}$$

1-4

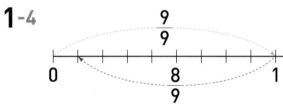

$$1 - \frac{8}{9} = \boxed{}$$

🐻 빈칸에 알맞은 분수를 써넣으세요.

2-1

$$\frac{11}{13} \quad -\frac{9}{13} \quad \boxed{}$$

2-2

$$\frac{12}{19} \quad -\frac{5}{19} \quad \boxed{}$$

2-3

$$1 \quad -\frac{8}{14} \quad \boxed{}$$

2-4

$$1 \quad -\frac{4}{16} \quad \boxed{}$$

생활 속 계산

🐻📖 남은 피자를 보고 전체의 몇 분의 몇을 먹었는지 구하세요.

3-1

남은 피자

$1 - \dfrac{4}{6} = \boxed{}$

3-2

남은 피자

$1 - \dfrac{8}{10} = \boxed{}$

3-3

남은 피자

$1 - \dfrac{6}{8} = \boxed{}$

3-4

남은 피자

$1 - \dfrac{2}{9} = \boxed{}$

문장 읽고 계산식 세우기

4-1

식혜 $\dfrac{13}{15}$ L 중에서 $\dfrac{6}{15}$ L를 마셨다면 남은 식혜는 몇 L?

식 $\dfrac{13}{15} - \dfrac{6}{15} = \boxed{}$ (L)

4-2

수정과 $\dfrac{10}{12}$ L 중에서 $\dfrac{5}{12}$ L를 마셨다면 남은 수정과는 몇 L?

식 $\dfrac{10}{12} - \boxed{} = \boxed{}$ (L)

2주
1일

2^일 받아내림이 없는 (대분수)−(분수) ①

똑똑한 하루 계산법

- **받아내림이 없는 (대분수)−(진분수)**

예) $4\frac{2}{3} - \frac{1}{3}$ 의 계산

 방법 1 자연수는 그대로, 분수는 분수끼리 계산하기

자연수는 그대로

$$4\frac{2}{3} - \frac{1}{3} = 4 + \left(\frac{2}{3} - \frac{1}{3}\right) = 4 + \frac{1}{3} = 4\frac{1}{3}$$

분수끼리 빼기

 방법 2 대분수를 가분수로 바꾸어 계산하기

$$4\frac{2}{3} - \frac{1}{3} = \frac{14}{3} - \frac{1}{3} = \frac{13}{3} = 4\frac{1}{3}$$

계산 결과는 대분수로 나타냅니다.

대분수를 가분수로 바꾸기

○✕ 퀴즈

계산이 바르면 ○에, 틀리면 ✕에 ○표 하세요.

$$2\frac{2}{3} - \frac{1}{3} = 2\frac{1}{3}$$

정답 ○에 ○표

🐻 계산해 보세요.

① $3\dfrac{4}{5}-\dfrac{2}{5}=3+\left(\dfrac{4}{5}-\dfrac{\boxed{}}{5}\right)$

$\qquad\quad =3+\dfrac{\boxed{}}{5}=3\dfrac{\boxed{}}{5}$

② $1\dfrac{5}{6}-\dfrac{4}{6}=\dfrac{\boxed{}}{6}-\dfrac{\boxed{}}{6}$

$\qquad\quad =\dfrac{\boxed{}}{6}=1\dfrac{\boxed{}}{6}$

③ $6\dfrac{2}{7}-\dfrac{1}{7}=6+\left(\dfrac{2}{7}-\dfrac{\boxed{}}{7}\right)$

$\qquad\quad =6+\dfrac{\boxed{}}{7}=6\dfrac{\boxed{}}{7}$

④ $4\dfrac{3}{8}-\dfrac{2}{8}=\dfrac{\boxed{}}{8}-\dfrac{\boxed{}}{8}$

$\qquad\quad =\dfrac{\boxed{}}{8}=4\dfrac{\boxed{}}{8}$

⑤ $2\dfrac{3}{7}-\dfrac{2}{7}$

⑥ $3\dfrac{4}{6}-\dfrac{2}{6}$

⑦ $5\dfrac{7}{9}-\dfrac{6}{9}$

⑧ $4\dfrac{9}{10}-\dfrac{7}{10}$

⑨ $9\dfrac{5}{13}-\dfrac{3}{13}$

⑩ $4\dfrac{15}{21}-\dfrac{8}{21}$

똑똑한 하루 계산법

• 받아내림이 없는 (대분수)−(대분수)

예 $3\frac{4}{5} - 1\frac{2}{5}$의 계산

방법 1 자연수는 자연수끼리, 분수는 분수끼리 계산하기

자연수는 자연수끼리

$$3\frac{4}{5} - 1\frac{2}{5} = (3-1) + \left(\frac{4}{5} - \frac{2}{5}\right) = 2 + \frac{2}{5} = 2\frac{2}{5}$$

분수는 분수끼리

방법 2 대분수를 가분수로 바꾸어 계산하기

$$3\frac{4}{5} - 1\frac{2}{5} = \frac{19}{5} - \frac{7}{5} = \frac{12}{5} = 2\frac{2}{5}$$

대분수를 가분수로 바꾸기

계산 결과는 대분수로 나타냅니다.

🐻 계산해 보세요.

① $5\dfrac{2}{4}-1\dfrac{1}{4}$

$$=(5-1)+\left(\dfrac{\boxed{}}{4}-\dfrac{\boxed{}}{4}\right)$$

$$=4+\dfrac{\boxed{}}{4}=4\dfrac{\boxed{}}{4}$$

② $4\dfrac{7}{8}-2\dfrac{5}{8}$

$$=\dfrac{\boxed{}}{8}-\dfrac{\boxed{}}{8}$$

$$=\dfrac{\boxed{}}{8}=\boxed{}\dfrac{\boxed{}}{8}$$

③ $8\dfrac{3}{7}-2\dfrac{1}{7}$

$$=(8-2)+\left(\dfrac{\boxed{}}{7}-\dfrac{\boxed{}}{7}\right)$$

$$=6+\dfrac{\boxed{}}{7}=6\dfrac{\boxed{}}{7}$$

④ $2\dfrac{4}{9}-1\dfrac{3}{9}$

$$=\dfrac{\boxed{}}{9}-\dfrac{\boxed{}}{9}$$

$$=\dfrac{\boxed{}}{9}=\boxed{}\dfrac{\boxed{}}{9}$$

⑤ $4\dfrac{8}{10}-3\dfrac{5}{10}$

⑥ $5\dfrac{5}{6}-4\dfrac{1}{6}$

⑦ $7\dfrac{6}{8}-4\dfrac{4}{8}$

⑧ $6\dfrac{5}{9}-3\dfrac{2}{9}$

⑨ $4\dfrac{10}{12}-1\dfrac{7}{12}$

⑩ $3\dfrac{8}{14}-1\dfrac{6}{14}$

2^일 기초 집중 연습

🐻 빈칸에 두 분수의 차를 써넣으세요.

1-1

$3\dfrac{7}{8}$	$\dfrac{4}{8}$

1-2

$6\dfrac{9}{11}$	$\dfrac{4}{11}$

1-3

$10\dfrac{6}{12}$	$7\dfrac{5}{12}$

1-4

$8\dfrac{8}{16}$	$4\dfrac{5}{16}$

🐻 빈칸에 알맞은 분수를 써넣으세요.

2-1

$8\dfrac{4}{6}$ $-\dfrac{2}{6}$

2-2

$6\dfrac{5}{7}$ $-\dfrac{3}{7}$

2-3

$9\dfrac{12}{15}$ $-4\dfrac{4}{15}$

2-4

$7\dfrac{9}{16}$ $-4\dfrac{1}{16}$

⏰ 제한 시간 8분

생활 속 계산

🐻 학교에서 집까지의 거리는 학교에서 공원까지의 거리보다 몇 km 가까운지 구하세요.

3-1

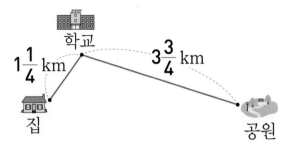

$$3\frac{3}{4} - 1\frac{1}{4} = \boxed{} \text{ (km)}$$

3-2

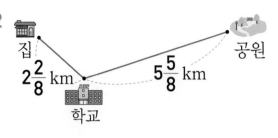

$$5\frac{5}{8} - 2\frac{2}{8} = \boxed{} \text{ (km)}$$

3-3

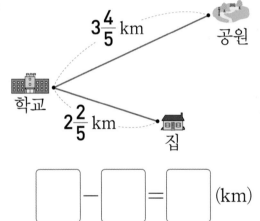

$$\boxed{} - \boxed{} = \boxed{} \text{ (km)}$$

3-4

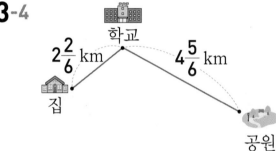

$$\boxed{} - \boxed{} = \boxed{} \text{ (km)}$$

2주 2일

문장 읽고 계산식 세우기

4-1

사과 $5\frac{7}{9}$ kg 중에서 $2\frac{3}{9}$ kg을 이웃 집에 주었다면 남은 사과는 몇 kg?

식 $5\frac{7}{9} - \boxed{} = \boxed{}$ (kg)

4-2

키위 $7\frac{4}{5}$ kg 중에서 $2\frac{1}{5}$ kg을 이웃 집에 주었다면 남은 키위는 몇 kg?

식 $7\frac{4}{5} - \boxed{} = \boxed{}$ (kg)

(자연수)―(분수) ①

자연수를 가분수로
바꾸어 계산하면 돼!

오호!

$$2 - \frac{1}{5} = \frac{10}{5} - \frac{1}{5} = \frac{9}{5} = 1\frac{4}{5}$$

똑똑한 하루 계산법

- (자연수)―(진분수)

예 $2 - \frac{1}{5}$의 계산

방법1 자연수에서 1만큼을 가분수로 바꾸어 계산하기

$$2 - \frac{1}{5} = 1\frac{5}{5} - \frac{1}{5} = 1\frac{4}{5}$$

1만큼을 $\frac{5}{5}$로 바꾸기

방법2 자연수를 가분수로 바꾸어 계산하기

$$2 - \frac{1}{5} = \frac{10}{5} - \frac{1}{5} = \frac{9}{5} = 1\frac{4}{5}$$

가분수로 바꾸기

계산 결과는
대분수로
나타냅니다.

○✕ 퀴즈

계산이 바르면 ○에,
틀리면 ✕에
○표 하세요.

$$3 - \frac{2}{5} = 2\frac{1}{5}$$

정답 ✕에 ○표

계산해 보세요.

① $3 - \dfrac{3}{4} = 2\dfrac{\square}{4} - \dfrac{\square}{4}$

$= \square\dfrac{\square}{4}$

② $2 - \dfrac{5}{6} = \dfrac{\square}{6} - \dfrac{5}{6} = \dfrac{\square}{6}$

$= \square\dfrac{\square}{6}$

③ $4 - \dfrac{3}{7} = 3\dfrac{\square}{7} - \dfrac{\square}{7}$

$= \square\dfrac{\square}{7}$

④ $3 - \dfrac{7}{8} = \dfrac{\square}{8} - \dfrac{7}{8} = \dfrac{\square}{8}$

$= \square\dfrac{\square}{8}$

⑤ $6 - \dfrac{4}{7}$

⑥ $8 - \dfrac{8}{9}$

⑦ $3 - \dfrac{5}{8}$

⑧ $7 - \dfrac{9}{10}$

⑨ $9 - \dfrac{5}{11}$

⑩ $15 - \dfrac{6}{14}$

2주

3일

(자연수)－(분수) ②

$$4-1\frac{2}{3}=3\frac{3}{3}-1\frac{2}{3}=2\frac{1}{3}$$

똑똑한 하루 계산법

- **(자연수)－(대분수)**

예 $4-1\frac{2}{3}$의 계산

방법 1 자연수에서 1만큼을 가분수로 바꾸어 계산하기

$$4-1\frac{2}{3}=3\frac{3}{3}-1\frac{2}{3}=2\frac{1}{3}$$

1만큼을 $\frac{3}{3}$으로 바꾸기

방법 2 자연수와 대분수를 가분수로 바꾸어 계산하기

$$4-1\frac{2}{3}=\frac{12}{3}-\frac{5}{3}=\frac{7}{3}=2\frac{1}{3}$$

○✕ 퀴즈

계산이 바르면 ○에,
틀리면 ✕에
○표 하세요.

$$6-2\frac{3}{5}=3\frac{2}{5}$$

정답 ○에 ○표

🐻 계산해 보세요.

① $3 - 1\frac{4}{9} = 2\frac{\square}{9} - 1\frac{4}{9} = (2-1) + \left(\frac{\square}{9} - \frac{4}{9}\right) = \square + \frac{\square}{9} = \square\frac{\square}{9}$

② $4 - 2\frac{1}{3} = \frac{\square}{3} - \frac{\square}{3} = \frac{\square}{3} = \square\frac{\square}{3}$

③ $3 - 1\frac{2}{6}$

④ $5 - 1\frac{5}{8}$

⑤ $8 - 1\frac{4}{9}$

⑥ $7 - 4\frac{8}{12}$

⑦ $5 - 2\frac{3}{7}$

⑧ $9 - 3\frac{7}{10}$

⑨ $4 - 1\frac{2}{9}$

⑩ $6 - 2\frac{8}{11}$

🐻 빈칸에 알맞은 분수를 써넣으세요.

1-1

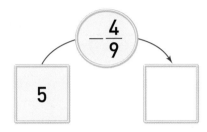

1-2

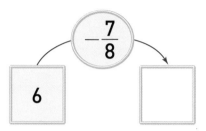

1-3

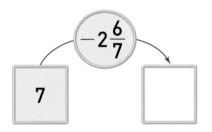

1-4

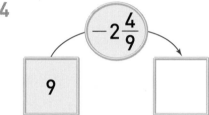

🐻 두 막대의 길이의 차는 몇 m인지 구하세요.

2-1

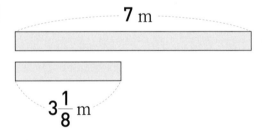

☐ m

2-2

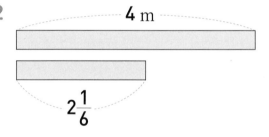

☐ m

2-3

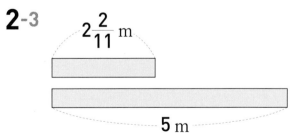

☐ m

2-4

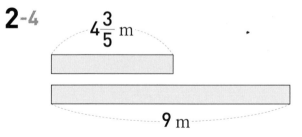

☐ m

생활 속 계산

🐻 집에서 병원까지의 거리는 몇 km인지 구하세요.

3-1

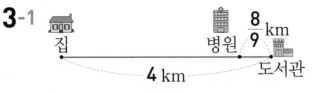

$$4-\frac{8}{9}=\boxed{}\ (km)$$

3-2

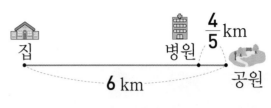

$$6-\frac{4}{5}=\boxed{}\ (km)$$

3-3

$$\boxed{}-\boxed{}=\boxed{}\ (km)$$

3-4

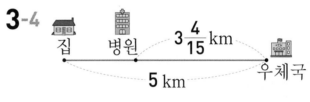

$$\boxed{}-\boxed{}=\boxed{}\ (km)$$

2주
3일

문장 읽고 계산식 세우기

4-1

2 L의 우유 중에서 $\frac{5}{12}$ L를 마셨다면 남은 우유는 몇 L?

식 $2-\boxed{}=\boxed{}\ (L)$

4-2

포도 5 kg을 사서 $3\frac{5}{6}$ kg을 먹었다면 남은 포도는 몇 kg?

식 $5-\boxed{}=\boxed{}\ (kg)$

받아내림이 있는 (대분수)—(분수) ①

먼저 대분수의 자연수에서 1만큼을 가분수로 바꿔.

아하, 다음으로 자연수는 그대로 쓰고 분수는 분수끼리 빼면 되는구나.

$$2\frac{1}{7}-\frac{6}{7}=1\frac{8}{7}-\frac{6}{7}=1+\left(\frac{8}{7}-\frac{6}{7}\right)=1\frac{2}{7}$$

똑똑한 하루 계산법

- 받아내림이 있는 (대분수)—(진분수)

예 $2\frac{1}{7}-\frac{6}{7}$ 의 계산

방법 1 빼지는 분수의 자연수에서 1만큼을 가분수로 바꾸어 계산하기

$$2\frac{1}{7}-\frac{6}{7}=1\frac{8}{7}-\frac{6}{7}=1+\left(\frac{8}{7}-\frac{6}{7}\right)=1\frac{2}{7}$$

1만큼을 가분수로 바꾸기 → $2\frac{1}{7}=1+1\frac{1}{7}=\frac{7}{7}+1\frac{1}{7}=1\frac{8}{7}$

방법 2 대분수를 가분수로 바꾸어 계산하기

$$2\frac{1}{7}-\frac{6}{7}=\frac{15}{7}-\frac{6}{7}=\frac{9}{7}=1\frac{2}{7}$$

○✕ 퀴즈

계산이 바르면 ○에, 틀리면 ✕에 ○표 하세요.

$$2\frac{3}{7}-\frac{5}{7}=2\frac{2}{7}$$

 ○ ✕

정답 ✕에 ○표

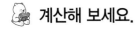 계산해 보세요.

① $9\dfrac{5}{7} - \dfrac{6}{7} = 8\dfrac{\boxed{}}{7} - \dfrac{6}{7} = 8 + \left(\dfrac{\boxed{}}{7} - \dfrac{6}{7}\right) = \boxed{} + \dfrac{\boxed{}}{7} = \boxed{}\dfrac{\boxed{}}{7}$

② $4\dfrac{4}{8} - \dfrac{5}{8} = \dfrac{\boxed{}}{8} - \dfrac{\boxed{}}{8} = \dfrac{\boxed{}}{8} = \boxed{}\dfrac{\boxed{}}{8}$

③ $5\dfrac{1}{4} - \dfrac{2}{4}$

④ $4\dfrac{1}{6} - \dfrac{2}{6}$

⑤ $8\dfrac{2}{5} - \dfrac{4}{5}$

⑥ $3\dfrac{5}{10} - \dfrac{8}{10}$

⑦ $7\dfrac{5}{9} - \dfrac{8}{9}$

⑧ $5\dfrac{6}{12} - \dfrac{10}{12}$

⑨ $8\dfrac{4}{13} - \dfrac{6}{13}$

⑩ $4\dfrac{7}{16} - \dfrac{13}{16}$

2주
4일

받아내림이 있는 (대분수)―(분수) ②

똑똑한 하루 계산법

• 받아내림이 있는 (대분수)―(대분수)

(예) $3\frac{1}{4} - 1\frac{3}{4}$의 계산

(방법 1) 빼지는 분수의 자연수에서 1만큼을 가분수로 바꾸어 계산하기

$$3\frac{1}{4} - 1\frac{3}{4} = 2\frac{5}{4} - 1\frac{3}{4} = (2-1) + \left(\frac{5}{4} - \frac{3}{4}\right) = 1\frac{2}{4}$$

(방법 2) 대분수를 가분수로 바꾸어 계산하기

$$3\frac{1}{4} - 1\frac{3}{4} = \frac{13}{4} - \frac{7}{4} = \frac{6}{4} = 1\frac{2}{4}$$

🐻 계산해 보세요.

① $3\dfrac{2}{9} - 1\dfrac{5}{9} = 2\dfrac{\boxed{}}{9} - 1\dfrac{5}{9} = (2-1) + \left(\dfrac{\boxed{}}{9} - \dfrac{5}{9}\right)$

$= \boxed{} + \dfrac{\boxed{}}{9} = \boxed{}\dfrac{\boxed{}}{9}$

② $4\dfrac{1}{6} - 2\dfrac{5}{6} = \dfrac{\boxed{}}{6} - \dfrac{\boxed{}}{6} = \dfrac{\boxed{}}{6} = \boxed{}\dfrac{\boxed{}}{6}$

③ $5\dfrac{3}{7} - 2\dfrac{5}{7}$

④ $4\dfrac{2}{8} - 1\dfrac{7}{8}$

⑤ $3\dfrac{1}{9} - 1\dfrac{8}{9}$

⑥ $7\dfrac{2}{5} - 4\dfrac{3}{5}$

⑦ $6\dfrac{4}{10} - 1\dfrac{9}{10}$

⑧ $8\dfrac{1}{13} - 6\dfrac{4}{13}$

⑨ $5\dfrac{9}{15} - 3\dfrac{12}{15}$

⑩ $3\dfrac{17}{20} - 1\dfrac{19}{20}$

기초 집중 연습

 빈칸에 알맞은 분수를 써넣으세요.

1-1

$$2\frac{3}{9} \Rightarrow -\frac{7}{9} \Rightarrow \boxed{}$$

1-2

$$3\frac{1}{6} \Rightarrow -\frac{4}{6} \Rightarrow \boxed{}$$

1-3

$$4\frac{9}{13} \Rightarrow -1\frac{10}{13} \Rightarrow \boxed{}$$

1-4

$$5\frac{4}{12} \Rightarrow -2\frac{9}{12} \Rightarrow \boxed{}$$

그림을 보고 ▲에 알맞은 분수를 구하세요.

2-1

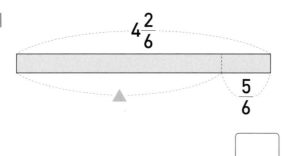

$$4\frac{2}{6}$$

$$\frac{5}{6}$$

2-2

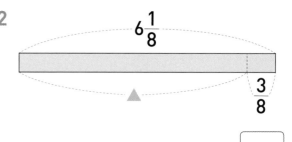

$$6\frac{1}{8}$$

$$\frac{3}{8}$$

2-3

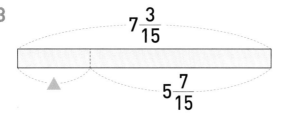

$$7\frac{3}{15}$$

$$5\frac{7}{15}$$

2-4

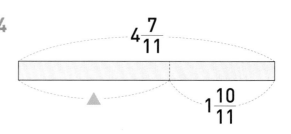

$$4\frac{7}{11}$$

$$1\frac{10}{11}$$

생활 속 계산

🐻 사용하고 남은 곡식의 무게는 몇 kg인지 구하세요.

3-1

쌀 5$\frac{3}{5}$kg

$\frac{4}{5}$ kg을 사용했어.

$$5\frac{3}{5} - \frac{4}{5} = \boxed{} \ (\text{kg})$$

3-2

검은콩 6$\frac{5}{8}$kg

$1\frac{6}{8}$ kg을 사용했어.

$$6\frac{5}{8} - 1\frac{6}{8} = \boxed{} \ (\text{kg})$$

3-3

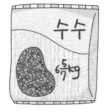

수수 6$\frac{5}{7}$kg

$3\frac{6}{7}$ kg을 사용했어.

$$\boxed{} - \boxed{} = \boxed{} \ (\text{kg})$$

3-4

현미 2$\frac{1}{3}$kg

$\frac{2}{3}$ kg을 사용했어.

$$\boxed{} - \boxed{} = \boxed{} \ (\text{kg})$$

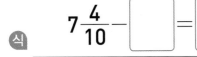

문장 읽고 계산식 세우기

4-1

$7\frac{4}{10}$ 보다 $\frac{8}{10}$ 만큼 더 작은 수는?

식 $$7\frac{4}{10} - \boxed{} = \boxed{}$$

4-2

$4\frac{7}{16}$ 보다 $2\frac{13}{16}$ 만큼 더 작은 수는?

식 $$4\frac{7}{16} - \boxed{} = \boxed{}$$

2주 **4**일

5일 세 분수의 계산 ①

$$9\frac{8}{9}-4\frac{3}{9}-1\frac{2}{9}=\left(9\frac{8}{9}-4\frac{3}{9}\right)-1\frac{2}{9}$$

$$=5\frac{5}{9}-1\frac{2}{9}=4\frac{3}{9}$$

똑똑한 하루 계산법

• 세 분수의 뺄셈

예 $9\frac{8}{9}-4\frac{3}{9}-1\frac{2}{9}$ 의 계산

방법 1 앞에서부터 **두 수씩 차례로** 계산하기

$$9\frac{8}{9}-4\frac{3}{9}-1\frac{2}{9}=\left(9\frac{8}{9}-4\frac{3}{9}\right)-1\frac{2}{9}=5\frac{5}{9}-1\frac{2}{9}=4\frac{3}{9}$$

① ②

방법 2 **대분수를 가분수로 바꾸어** 한번에 계산하기

$$9\frac{8}{9}-4\frac{3}{9}-1\frac{2}{9}=\frac{89}{9}-\frac{39}{9}-\frac{11}{9}=\frac{89-39-11}{9}=\frac{39}{9}=4\frac{3}{9}$$

📖 계산해 보세요.

① $9\frac{6}{8} - \frac{3}{8} - 3\frac{1}{8} = \boxed{}\frac{\boxed{}}{8} - 3\frac{1}{8} = \boxed{}\frac{\boxed{}}{8}$

① ②

② $6\frac{7}{10} - 1\frac{1}{10} - 2\frac{2}{10} = \frac{\boxed{}}{10} - \frac{\boxed{}}{10} - \frac{\boxed{}}{10} = \frac{\boxed{}}{10} = \boxed{}\frac{\boxed{}}{10}$

③ $7\frac{4}{5} - \frac{2}{5} - 3\frac{1}{5}$

④ $4\frac{8}{11} - 2\frac{3}{11} - 1\frac{2}{11}$

⑤ $8\frac{8}{9} - 4\frac{3}{9} - \frac{2}{9}$

⑥ $5\frac{5}{6} - 1\frac{1}{6} - 2\frac{2}{6}$

⑦ $3\frac{9}{12} - \frac{5}{12} - 1\frac{6}{12}$

⑧ $6\frac{8}{14} - 2\frac{5}{14} - 1\frac{7}{14}$

⑨ $12\frac{1}{7} - 4\frac{3}{7} - 2\frac{5}{7}$

⑩ $5\frac{4}{9} - \frac{2}{9} - 1\frac{5}{9}$

2주
5일

세 분수의 계산 ②

세 분수의 덧셈과 뺄셈 숙제는 했니?

헤헤, 아직…….

그럼, 그것도 내가 해 줄게.

우와!

짠!

이것도 앞에서부터 두 수씩 차례로 계산해야 돼.

아하~ 그럼 정답은 $1\frac{4}{5}$ 군.

$$2\frac{1}{5} - 1\frac{4}{5} + 1\frac{2}{5} = \left(2\frac{1}{5} - 1\frac{4}{5}\right) + 1\frac{2}{5}$$

$$= \frac{2}{5} + 1\frac{2}{5} = 1\frac{4}{5}$$

고마워. 네 덕분에 숙제를 쉽게 끝냈어.

고마운 건 나지. 내가 이 게임기 얼마나 갖고 싶었는데.

고장 난 게임기가 갖고 싶었다고?

이상한 녀석일세

고장 난 게임기?

응, 그거 버려 달라고 너 준 거야!

다시 가져가!

야!

똑똑한 하루 계산법

• 세 분수의 덧셈과 뺄셈

예 $2\frac{1}{5} - 1\frac{4}{5} + 1\frac{2}{5}$ 의 계산

> 세 분수의 덧셈과 뺄셈은 앞에서부터 차례로 계산합니다.

방법 1 앞에서부터 **두 수씩 차례로** 계산하기

$$2\frac{1}{5} - 1\frac{4}{5} + 1\frac{2}{5} = \left(2\frac{1}{5} - 1\frac{4}{5}\right) + 1\frac{2}{5} = \frac{2}{5} + 1\frac{2}{5} = 1\frac{4}{5}$$

①
②

$2\frac{1}{5} - 1\frac{4}{5} = 1\frac{6}{5} - 1\frac{4}{5} = \frac{2}{5}$

방법 2 대분수를 가분수로 바꾸어 두 수씩 차례로 계산하기

$$2\frac{1}{5} - 1\frac{4}{5} + 1\frac{2}{5} = \left(\frac{11}{5} - \frac{9}{5}\right) + \frac{7}{5} = \frac{2}{5} + \frac{7}{5} = \frac{9}{5} = 1\frac{4}{5}$$

①
②

제한 시간 5분

🐻 계산해 보세요.

① $5\dfrac{6}{13} - 4\dfrac{4}{13} + \dfrac{8}{13} = \boxed{}\dfrac{\boxed{}}{13} + \dfrac{8}{13} = \boxed{}\dfrac{\boxed{}}{13}$

① ②

② $5\dfrac{2}{9} + 1\dfrac{5}{9} - 1\dfrac{3}{9} = \left(\dfrac{\boxed{}}{9} + \dfrac{\boxed{}}{9}\right) - \dfrac{\boxed{}}{9} = \dfrac{\boxed{}}{9} - \dfrac{\boxed{}}{9}$

① ②

$= \dfrac{\boxed{}}{9} = \boxed{}\dfrac{\boxed{}}{9}$

③ $3\dfrac{1}{5} - 1\dfrac{2}{5} + \dfrac{4}{5}$

④ $2\dfrac{9}{12} + 2\dfrac{5}{12} - \dfrac{3}{12}$

⑤ $3\dfrac{5}{10} - \dfrac{7}{10} + 4\dfrac{1}{10}$

⑥ $4\dfrac{2}{9} + \dfrac{5}{9} - 2\dfrac{4}{9}$

⑦ $8\dfrac{2}{5} - 3\dfrac{4}{5} + 2\dfrac{4}{5}$

⑧ $7\dfrac{4}{8} + 2\dfrac{3}{8} - 3\dfrac{5}{8}$

⑨ $6\dfrac{3}{7} - 1\dfrac{5}{7} + 4\dfrac{2}{7}$

⑩ $5\dfrac{7}{8} + 3\dfrac{5}{8} - 2\dfrac{7}{8}$

🐻 ☐ 안에 알맞은 분수를 써넣으세요.

1-1

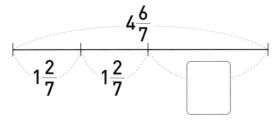

$4\dfrac{6}{7}$

$1\dfrac{2}{7}$ $1\dfrac{2}{7}$

1-2

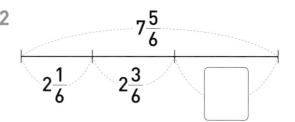

$7\dfrac{5}{6}$

$2\dfrac{1}{6}$ $2\dfrac{3}{6}$

1-3

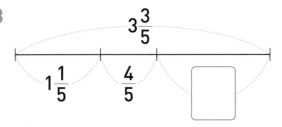

$3\dfrac{3}{5}$

$1\dfrac{1}{5}$ $\dfrac{4}{5}$

1-4

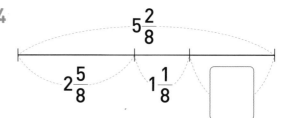

$5\dfrac{2}{8}$

$2\dfrac{5}{8}$ $1\dfrac{1}{8}$

🐻 빈칸에 알맞은 분수를 써넣으세요.

2-1

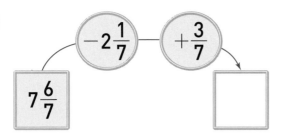

$7\dfrac{6}{7}$ $-2\dfrac{1}{7}$ $+\dfrac{3}{7}$

2-2

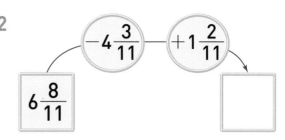

$6\dfrac{8}{11}$ $-4\dfrac{3}{11}$ $+1\dfrac{2}{11}$

2-3

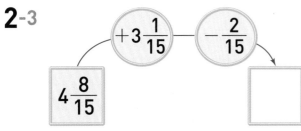

$4\dfrac{8}{15}$ $+3\dfrac{1}{15}$ $-\dfrac{2}{15}$

2-4

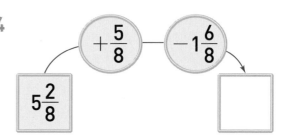

$5\dfrac{2}{8}$ $+\dfrac{5}{8}$ $-1\dfrac{6}{8}$

제한 시간 10분

생활 속 계산

🐻 수조에서 물을 덜어 내면 수조에 남는 물은 몇 L가 되는지 구하세요.

3-1

$4\dfrac{6}{7}$L $1\dfrac{3}{7}$L $\dfrac{2}{7}$L

$4\dfrac{6}{7}-1\dfrac{3}{7}-\dfrac{2}{7}=\boxed{}$ (L)

3-2

$3\dfrac{5}{8}$L $1\dfrac{1}{8}$L $1\dfrac{3}{8}$L

$3\dfrac{5}{8}-1\dfrac{1}{8}-1\dfrac{3}{8}=\boxed{}$ (L)

3-3

$8\dfrac{5}{9}$L $1\dfrac{3}{9}$L $\dfrac{2}{9}$L

$\boxed{}-\boxed{}-\boxed{}=\boxed{}$ (L)

3-4

$9\dfrac{1}{5}$L $2\dfrac{2}{5}$L $3\dfrac{1}{5}$L

$\boxed{}-\boxed{}-\boxed{}=\boxed{}$ (L)

문장 읽고 계산식 세우기

4-1

빨간 사과 $3\dfrac{7}{9}$ kg과 초록 사과 $\dfrac{3}{9}$ kg 중에서 $2\dfrac{4}{9}$ kg을 선물했다면 남은 사과는 몇 kg?

식 $3\dfrac{7}{9}+\dfrac{3}{9}-2\dfrac{4}{9}=\boxed{}$ (kg)

4-2

청포도 $6\dfrac{4}{8}$ kg과 적포도 $2\dfrac{2}{8}$ kg 중에서 $5\dfrac{7}{8}$ kg을 선물했다면 남은 포도는 몇 kg?

식 $6\dfrac{4}{8}+2\dfrac{2}{8}-5\dfrac{7}{8}=\boxed{}$ (kg)

2주
5일

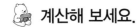 계산해 보세요.

① $\dfrac{5}{7} - \dfrac{1}{7}$

② $\dfrac{7}{8} - \dfrac{6}{8}$

③ $1 - \dfrac{5}{13}$

④ $1 - \dfrac{13}{21}$

⑤ $5\dfrac{6}{9} - \dfrac{4}{9}$

⑥ $8\dfrac{13}{15} - \dfrac{10}{15}$

⑦ $4\dfrac{12}{14} - 1\dfrac{3}{14}$

⑧ $3\dfrac{4}{5} - 1\dfrac{2}{5}$

⑨ $5 - \dfrac{8}{14}$

⑩ $7 - \dfrac{10}{11}$

⑪ $5 - 1\dfrac{3}{7}$

⑫ $6 - 4\dfrac{5}{6}$

⑬ $6\dfrac{2}{7} - \dfrac{3}{7}$

⑭ $9\dfrac{6}{14} - \dfrac{11}{14}$

⑮ $8\dfrac{1}{13} - 1\dfrac{6}{13}$

⑯ $4\dfrac{6}{9} - 2\dfrac{8}{9}$

⑰ $7\dfrac{5}{8} - 5\dfrac{3}{8} - 1\dfrac{6}{8}$

⑱ $6\dfrac{2}{10} - 3\dfrac{5}{10} - \dfrac{4}{10}$

⑲ $8\dfrac{1}{5} - 3\dfrac{3}{5} + 1\dfrac{2}{5}$

⑳ $3\dfrac{7}{12} + \dfrac{4}{12} - 2\dfrac{5}{12}$

제한 시간 안에 정확하게
모두 풀었다면 여러분은 진정한 **계산왕!**

사랑해 독도야!

 친구들이 설레이는 마음으로 여행을 떠날 준비를 하고 있습니다.

 독도의 최고기온과 최저기온의 차는 얼마일까?

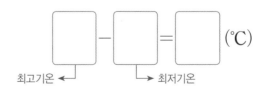

최고기온 ←   → 최저기온

답 _____ ℃

발효음식, 김치!

 친구들이 김치를 담고 있습니다.

2주 특강

 $9\frac{9}{10}$ kg의 소금 중 $2\frac{3}{10}$ kg을 넣은 후 $4\frac{9}{10}$ kg을 더 넣었어. 남은 소금은 몇 kg일까?

$$9\frac{9}{10} - \boxed{} - \boxed{} = \boxed{} \text{ (kg)}$$

답 _____ kg

창의 3 꽃이 잘 자랄 수 있도록 화분에 거름을 넣었습니다. 거름 $6\frac{9}{14}$ kg 중 $\frac{8}{14}$ kg을 사용했다면, 남은 거름은 몇 kg인지 구하세요.

> 잘 자라게 할 목적으로 식물에 주는 영양물질을 거름이라고 해요.

답 _____ kg

융합 4 다음 식의 계산 결과에 해당되는 글자를 보기 에서 찾아 아래 표의 빈칸에 써넣어 고사성어를 완성해 보세요.

① $3\frac{5}{8}-1\frac{7}{8}$　　② $\frac{9}{13}-\frac{5}{13}$　　③ $5\frac{4}{9}-\frac{3}{9}$　　④ $3-\frac{5}{6}$

보기

노	사	정	초	귀	십	필
$\frac{3}{13}$	$1\frac{6}{8}$	$2\frac{1}{6}$	$4\frac{1}{9}$	$5\frac{1}{9}$	$3\frac{1}{6}$	$\frac{4}{13}$

 모든 일은 반드시 바른길로 돌아가게 마련임을 이르는 말이예요.

①	②	③	④

창의 **5** 갈림길 문제의 답을 따라가면 우석이가 받고 싶은 선물을 알 수 있습니다. 우석이가 받고 싶은 선물은 무엇일까요?

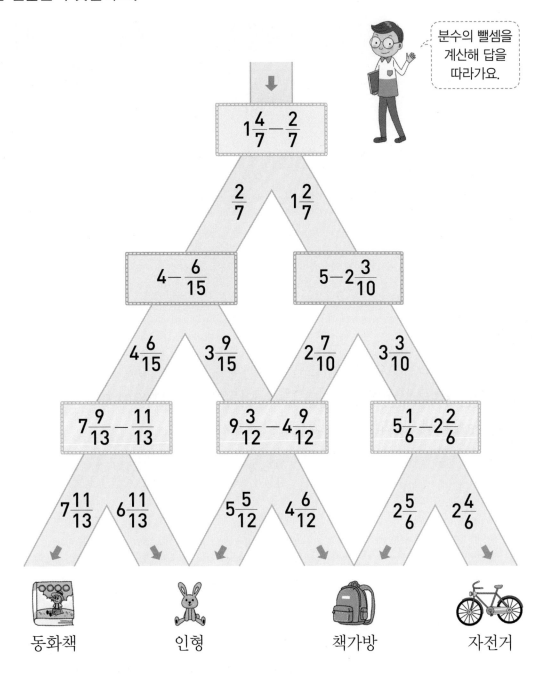

분수의 뺄셈을 계산해 답을 따라가요.

동화책   인형   책가방   자전거

답 _____

우리나라에서 현재 사용되고 있는 동전입니다. 동전의 무게의 차를 구하세요.

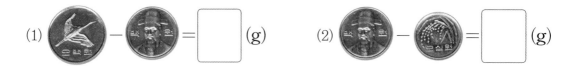

$7\dfrac{35}{50}$ g	$5\dfrac{21}{50}$ g	$4\dfrac{8}{50}$ g	$1\dfrac{11}{50}$ g

(1) $\boxed{}$ (g)　　(2) $\boxed{}$ (g)

 윗접시저울의 양쪽에 구슬을 올려놓았더니 윗접시저울이 어느 쪽으로도 기울지 않았습니다. 초록색 구슬의 무게는 몇 g인지 구하세요.

$3\dfrac{8}{13}$ g　　$2\dfrac{6}{13}$ g　$\dfrac{4}{13}$ g

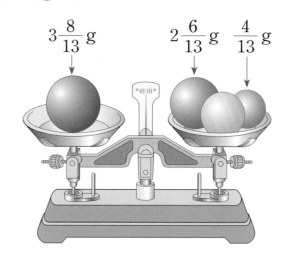

답 _____ g

융합 8 경상북도 경주에는 신라 시대의 유적지가 많습니다. 다음을 보고 물음에 답하세요.

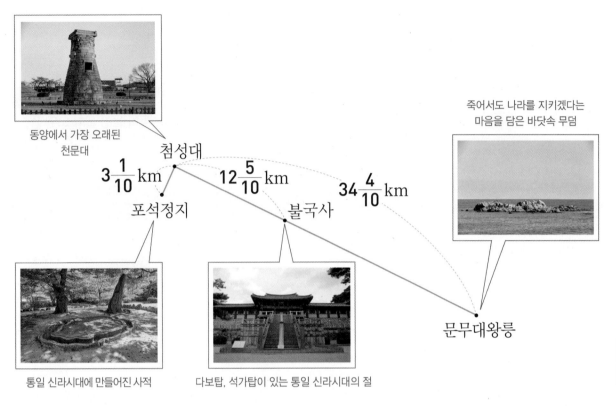

동양에서 가장 오래된 천문대

첨성대

$3\frac{1}{10}$ km

포석정지

$12\frac{5}{10}$ km

불국사

$34\frac{4}{10}$ km

죽어서도 나라를 지키겠다는 마음을 담은 바닷속 무덤

통일 신라시대에 만들어진 사적

다보탑, 석가탑이 있는 통일 신라시대의 절

문무대왕릉

(1) 첨성대에서 포석정지까지의 거리는 첨성대에서 불국사까지의 거리보다 몇 km 더 가까울까요?

답 _____ km

(2) 불국사에서 문무대왕릉까지의 거리는 몇 km일까요?

답 _____ km

3주 소수의 덧셈과 뺄셈 (1)

3주에 배울 내용을 알아볼까요? ①

 똑똑한 하루 계산

3주에 배울 내용을 알아볼까요? ②

소수 알아보기

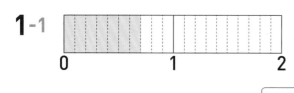 그림을 보고 ☐ 안에 알맞은 소수를 쓰세요.

1-1
```
0        1        2
```
☐

1-2
```
0        1        2
```
☐

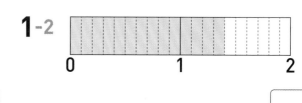 ☐ 안에 알맞은 수를 써넣으세요.

2-1 0.1이 **9**개이면 ☐입니다.　　**2**-2 0.1이 **4**개이면 ☐입니다.

2-3 0.1이 **15**개이면 ☐입니다.　　**2**-4 0.1이 **21**개이면 ☐입니다.

3-1 소수의 크기 비교

$$2.3 < 3.1$$
$$\underset{2<3}{\qquad}$$

소수의 크기 비교는 자연수 부분이 다르면 자연수가 클수록 큰 수이고 자연수 부분이 같으면 소수 부분이 클수록 큰 수입니다.

3주 **1**일

🐻 두 소수의 크기를 비교하여 ☐ 안에 더 큰 수를 써넣으세요.

3-1

0.4	1.2

☐

3-2

2.4	4.6

☐

3-3

3.8	3.4

☐

3-4

2.8	2.7

☐

소수 알아보기 ①

짠~, 이게 뭘까?

그게 뭔데?

너희에게 줄 선물이야!

선물!!

나부터 줘!

아냐, 나부터 줘!

이 선물은 문제를 맞히는 사람에게 줄 거야.

분수 $\frac{1}{100}$은 소수로 나타내면 0.01이야.

문제! $\frac{45}{100}$를 소수로 나타내면?

정답! 0.45라고 쓰고 영 점 사오라고 읽어!

$2\frac{45}{100}$는?

2.45라고 쓰고 이 점 사오라고 읽어!

똑똑한 하루 계산법

• 소수 두 자리 수

㉑ 2.45 (이 점 사오)

→ 2는 일의 자리 숫자, 2를 나타냅니다.

→ 4는 소수 첫째 자리 숫자, 0.4를 나타냅니다.

→ 5는 소수 둘째 자리 숫자, 0.05를 나타냅니다.

참고

0.01이 85개인 수
⇒ 0.85(영 점 팔오)
0.01이 245개인 수
⇒ 2.45(이 점 사오)

2.45는 1이 2개, 0.1이 4개, 0.01이 5개인 수입니다.

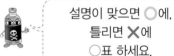

정답 ○에 ○표

똑똑한 계산 연습

🐻 빈칸에 알맞은 수를 써넣으세요.

① 5.32
⇩

일의 자리	소수 첫째 자리	소수 둘째 자리
.		

② 4.36
⇩

일의 자리	소수 첫째 자리	소수 둘째 자리
.		

③ 7.62
⇩

일의 자리	소수 첫째 자리	소수 둘째 자리
.		

④ 8.37
⇩

일의 자리	소수 첫째 자리	소수 둘째 자리
.		

🐻 ☐ 안에 알맞은 수를 써넣으세요.

⑤ 0.01이 3개인 수

⇨ ☐

⑥ 0.01이 5개인 수

⇨ ☐

⑦ 0.01이 32개인 수

⇨ ☐

⑧ 0.01이 63개인 수

⇨ ☐

⑨ 0.01이 154개인 수

⇨ ☐

⑩ 0.01이 243개인 수

⇨ ☐

소수 알아보기 ②

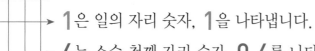

똑똑한 하루 계산법

• 소수 세 자리 수

예 **1.472** (일 점 사칠이)

→ **1**은 일의 자리 숫자, **1**을 나타냅니다.

→ **4**는 소수 첫째 자리 숫자, **0.4**를 나타냅니다.

→ **7**은 소수 둘째 자리 숫자, **0.07**을 나타냅니다.

→ **2**는 소수 셋째 자리 숫자, **0.002**를 나타냅니다.

1.472는 0.001이 1472개인 수입니다.

○×퀴즈

설명이 맞으면 ○에, 틀리면 ✕에 ○표 하세요.

5.324는 0.01이 5324개인 수입니다.

 ○   ✕

정답 ✕에 ○표

똑똑한 계산 연습

🐻 빈칸에 알맞은 수를 써넣으세요.

1 2.327
⇩

일의 자리	소수 첫째 자리	소수 둘째 자리	소수 셋째 자리
.			

2 6.153
⇩

일의 자리	소수 첫째 자리	소수 둘째 자리	소수 셋째 자리
.			

3 9.362
⇩

일의 자리	소수 첫째 자리	소수 둘째 자리	소수 셋째 자리
.			

4 4.249
⇩

일의 자리	소수 첫째 자리	소수 둘째 자리	소수 셋째 자리
.			

🐻 ☐ 안에 알맞은 수를 써넣으세요.

5 0.001이 ☐ 개인 수

⇨ 0.002

6 0.001이 8개인 수

⇨ ☐

7 0.001이 25개인 수

⇨ ☐

8 0.001이 7461개인 수

⇨ ☐

9 0.001이 ☐ 개인 수

⇨ 0.041

10 0.001이 ☐ 개인 수

⇨ 2.368

기초 집중 연습

🐻 다음을 소수로 쓰고 읽어 보세요.

1-1

0.01이 21개인 수

쓰기 _____

읽기 _____

1-2

0.01이 539개인 수

쓰기 _____

읽기 _____

1-3

0.001이 374개인 수

쓰기 _____

읽기 _____

1-4

0.001이 7458개인 수

쓰기 _____

읽기 _____

🐻 밑줄 친 숫자가 나타내는 수를 쓰세요.

2-1

5.4<u>7</u>

☐

2-2

6.2<u>4</u>

☐

2-3

3.12<u>5</u>

☐

2-4

8.<u>5</u>16

☐

⏰ 제한 시간 | 10분

생활 속 문제

🐻 보기 와 같이 전자저울에 나타난 소수를 읽어 보세요.

보기

읽기   일 점 이오

3-1

읽기 _____

3-2

읽기 _____

3-3

읽기 _____

문장 읽고 문제 해결하기

4-1 1이 3개, 0.1이 5개, 0.01이 7개인 수를 소수로 나타내면?

답 _____

4-2 1이 7개, 0.1이 4개, 0.01이 9개인 수를 소수로 나타내면?

답 _____

4-3 1이 4개, 0.1이 6개, 0.01이 9개, 0.001이 2개인 수를 소수로 나타내면?

답 _____

4-4 1이 2개, 0.1이 3개, 0.01이 8개, 0.001이 7개인 수를 소수로 나타내면?

답 _____

3주
1일

소수의 크기 비교 ①

똑똑한 하루 계산법

• 소수의 크기 비교하기

(1) 자릿수가 다른 소수의 크기 비교

$$0.62 > 0.618$$
$$\underset{2>1}{\underbrace{}}$$

소수의 오른쪽 끝자리에 0을 붙여서 나타낼 수 있습니다.

$$0.62 = 0.620$$

자연수 부분과 소수 첫째 자리 수가 각각 같으므로 소수 둘째 자리 수를 비교하면 0.62가 더 큽니다.

(2) 자릿수가 같은 소수의 크기 비교

$$0.82 > 0.54 \qquad 2.45 < 2.49 \qquad 1.532 < 1.537$$
$$\;\;\underset{8>5}{\underbrace{}} \qquad\qquad \underset{5<9}{\underbrace{}} \qquad\qquad \underset{2<7}{\underbrace{}}$$

똑똑한 계산 연습

🐻 두 소수의 크기를 비교하여 ○ 안에 >, =, <를 알맞게 써넣으세요.

① 0.47 ◯ 1.5

② 5.32 ◯ 4.83

③ 0.746 ◯ 0.94

④ 4.267 ◯ 4.274

⑤ 8.308 ◯ 8.302

⑥ 5.264 ◯ 5.261

3주
2일

🐻 세 소수의 크기를 비교하여 가장 큰 수에 ○표, 가장 작은 수에 △표 하세요.

⑦ | 0.4 | 1.24 | 1.38 |

⑧ | 5.42 | 6.3 | 5.47 |

⑨ | 2.725 | 3.842 | 2.654 |

⑩ | 8.324 | 5.297 | 5.265 |

⑪ | 1.324 | 1.348 | 1.321 |

⑫ | 3.624 | 3.542 | 3.644 |

소수의 크기 비교 ②

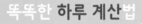

똑똑한 하루 계산법

• 소수 사이의 관계

(1) 소수의 10배, 100배 알아보기

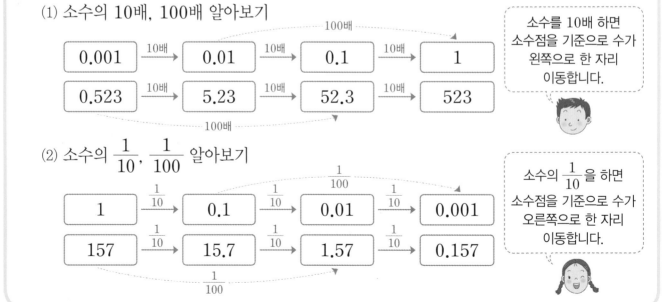

소수를 10배 하면 소수점을 기준으로 수가 왼쪽으로 한 자리 이동합니다.

(2) 소수의 $\frac{1}{10}$, $\frac{1}{100}$ 알아보기

소수의 $\frac{1}{10}$ 을 하면 소수점을 기준으로 수가 오른쪽으로 한 자리 이동합니다.

똑똑한 계산 연습

🐻 빈칸에 알맞은 수를 써넣으세요.

① 0.406 —10배→ [   ] —10배→ [   ] —10배→ [   ]

② 2.482 —10배→ [   ] —10배→ [   ] —10배→ [   ]

> 소수를 100배 하면
> 소수점을 기준으로 수가
> 왼쪽으로 두 자리
> 이동합니다.

③ 0.625 —10배→ [   ] —100배→ [   ]

④ 531 —$\frac{1}{10}$→ [   ] —$\frac{1}{10}$→ [   ] —$\frac{1}{10}$→ [   ]

⑤ 42 —$\frac{1}{10}$→ [   ] —$\frac{1}{10}$→ [   ] —$\frac{1}{10}$→ [   ]

> 소수의 $\frac{1}{100}$ 을 하면
> 소수점을 기준으로 수가
> 오른쪽으로 두 자리
> 이동합니다.

⑥ 127 —$\frac{1}{10}$→ [   ] —$\frac{1}{100}$→ [   ]

🐻 두 소수의 크기를 비교하여 ⬜ 안에 더 큰 수를 써넣으세요.

1-1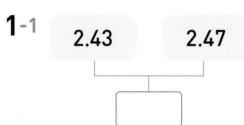

1-2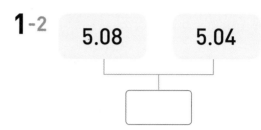

1-3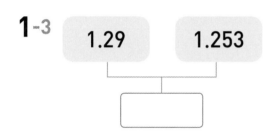

1-4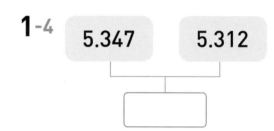

🐻 ⬜ 안에 알맞은 수를 써넣으세요.

2-1 2.47의 10배 ⇨ ⬜

2-2 5.372의 100배 ⇨ ⬜

2-3 3.054의 10배 ⇨ ⬜

2-4 34의 $\frac{1}{10}$ ⇨ ⬜

2-5 7.45의 $\frac{1}{10}$ ⇨ ⬜

2-6 2.7의 $\frac{1}{100}$ ⇨ ⬜

⏰ 제한 시간 10분

생활 속 문제

🐻 집에서 더 먼 곳은 어디인지 쓰세요.

3-1

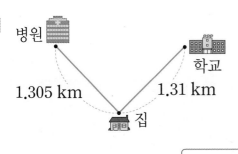

병원
학교
1.305 km
1.31 km
집

3-2

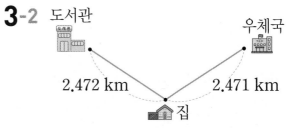

도서관
우체국
2.472 km
2.471 km
집

3-3

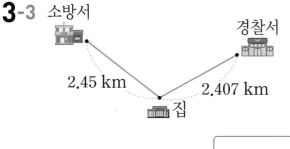

소방서
경찰서
2.45 km
2.407 km
집

3-4

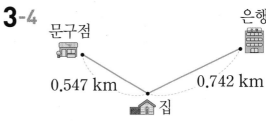

문구점
은행
0.547 km
0.742 km
집

3주
2일

문장 읽고 문제 해결하기

4-1

5.417을 100배 하면 얼마?

답 _____

4-2

3.25를 10배 하면 얼마?

답 _____

4-3

23의 $\frac{1}{10}$ 은 얼마?

답 _____

4-4

327의 $\frac{1}{100}$ 은 얼마?

답 _____

• 103

소수 한 자리 수의 덧셈 ①

똑똑한 하루 계산법

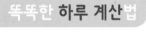

• 1보다 작은 소수 한 자리 수의 덧셈

예 0.9+0.4의 계산

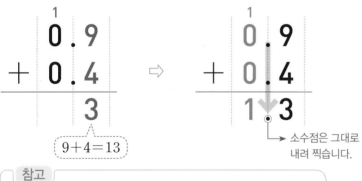

9+4=13

참고

┌ 0.9는 0.1이 9개

└ 0.4는 0.1이 4개 ─9+4=13

⇨ 0.9+0.4는 0.1이 13개이므로 1.3입니다.

○✕ 퀴즈

계산이 바르면 ○에,
틀리면 ✕에 ○표 하세요.

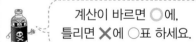

$$\begin{array}{r} 0.6 \\ +\,0.5 \\ \hline 1.1 \end{array}$$

정답 ○에 ○표

똑똑한 계산 연습

🐻 계산해 보세요.

①
```
    0.4          □          □
  + 0.7    ⇒    0.4    ⇒   0 . 4
             + 0.7       + 0 . 7
              ┌──┐       ┌──┬──┐
              └──┘       └──┘.└──┘
```

②
```
    0.9          □          □
  + 0.8    ⇒    0.9    ⇒   0 . 9
             + 0.8       + 0 . 8
              ┌──┐       ┌──┬──┐
              └──┘       └──┘.└──┘
```

③
```
   0 . 7
 + 0 . 6
```

④
```
   0 . 5
 + 0 . 8
```

⑤
```
   0 . 3
 + 0 . 9
```

⑥
```
   0 . 6
 + 0 . 8
```

⑦
```
   0 . 9
 + 0 . 6
```

⑧
```
   0 . 4
 + 0 . 8
```

⑨
```
   0 . 6
 + 0 . 6
```

⑩
```
   0 . 8
 + 0 . 3
```

⑪
```
   0 . 7
 + 0 . 9
```

똑똑한 하루 계산법

- **1보다 큰 소수 한 자리 수의 덧셈**

  예 2.5+5.3의 계산

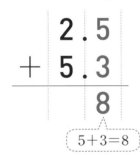

$5+3=8$

$2+5=7$

소수점은 그대로 내려 찍습니다.

참고

┌ 2.5는 0.1이 25개
└ 5.3은 0.1이 53개 ─ 25+53=78

➡ 2.5+5.3은 0.1이 78개이므로 7.8입니다.

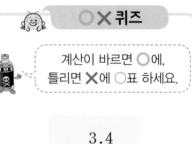

○✕ 퀴즈

계산이 바르면 ○에, 틀리면 ✕에 ○표 하세요.

정답 ✕에 ○표

🐻 계산해 보세요.

①
```
    1 . 2
+   1 . 7
```

②
```
    3 . 6
+   2 . 2
```

③
```
    7 . 5
+   1 . 3
```

④
```
    8 . 1
+   1 . 8
```

⑤
```
    4 . 3
+   2 . 5
```

⑥
```
    2 . 4
+   1 . 4
```

⑦
```
    1 . 9
+   4 . 5
```

⑧
```
    7 . 6
+   1 . 6
```

⑨
```
    1 . 7
+   3 . 4
```

⑩
```
    3 . 4
+   4 . 9
```

⑪
```
    4 . 8
+   3 . 3
```

⑫
```
    2 . 8
+   6 . 5
```

기초 집중 연습

🐻 ☐ 안에 알맞은 수를 써넣으세요.

1-1

0.7은 0.1이 ☐ 개입니다.

0.8은 0.1이 ☐ 개입니다.

➡ 0.7＋0.8은 0.1이 ☐ 개이

므로 ☐ 입니다.

1-2

1.8은 0.1이 ☐ 개입니다.

4.9는 0.1이 ☐ 개입니다.

➡ 1.8＋4.9는 0.1이 ☐ 개이

므로 ☐ 입니다.

🐻 빈칸에 알맞은 수를 써넣으세요.

2-1

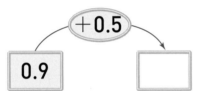

2-2

2-3

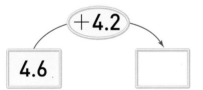

2-4

2-5

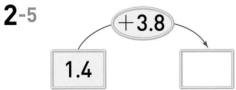

2-6

생활 속 계산

🐻 가습기에 물을 더 부으면 물은 몇 L가 되는지 구하세요.

3-1

0.3 L
0.4 L

☐ L

3-2

0.4 L
0.8 L

☐ L

3-3

1.4 L
1.2 L

☐ L

3-4

1.8 L
1.5 L

☐ L

3주
3일

문장 읽고 계산식 세우기

4-1

3.7과 2.8의 합은?

식 3.7 + ☐ = ☐

4-2

5.2와 3.7의 합은?

식 5.2 + ☐ = ☐

4-3

6.6과 2.7의 합은?

식 ☐ + ☐ = ☐

4-4

7.5와 1.9의 합은?

식 ☐ + ☐ = ☐

소수 두 자리 수의 덧셈 ①

우리는 죽마고우!

언제나 다정한 친구!

ㅋㅋ 악!

삼촌이 소수 두 자리 수의 덧셈을 할 수 있다면 수학 탐정으로 인정해 주신대.

맞아. 너 할 수 있지?

응, 0.67+0.14를 풀었지.

정답이 뭔데?

정답은 0.81이야!

그렇구나!

똑똑한 하루 계산법

- **1보다 작은 소수 두 자리 수의 덧셈**

  예) 0.67+0.14의 계산

소수 둘째 자리	소수 첫째 자리	일의 자리

$$\begin{array}{r} \overset{1}{} \\ 0.6\,7 \\ +\ 0.1\,4 \\ \hline 1 \end{array}$$
$7+4=11$

$$\Rightarrow \begin{array}{r} \overset{1}{} \\ 0.6\,7 \\ +\ 0.1\,4 \\ \hline 8\,1 \end{array}$$
$1+6+1=8$

$$\Rightarrow \begin{array}{r} \overset{1}{} \\ 0.6\,7 \\ +\ 0.1\,4 \\ \hline 0.8\,1 \end{array}$$
소수점은 그대로 내려 찍습니다.

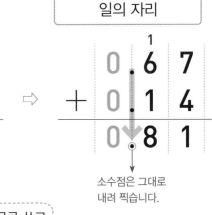

소수점끼리 맞추어 세로로 쓰고 같은 자리 수끼리 더합니다.

똑똑한 계산 연습

계산해 보세요.

①
```
    0 . 7 4
  + 0 . 2 3
```

②
```
    0 . 3 1
  + 0 . 1 5
```

③
```
    0 . 2 3
  + 0 . 3 6
```

④
```
    0 . 0 8
  + 0 . 7 8
```

⑤
```
    0 . 1 6
  + 0 . 4 9
```

⑥
```
    0 . 6 4
  + 0 . 1 8
```

⑦
```
    0 . 5 6
  + 0 . 3 7
```

⑧
```
    0 . 3 9
  + 0 . 2 4
```

⑨
```
    0 . 4 8
  + 0 . 4 7
```

⑩
```
    0 . 6 4
  + 0 . 3 7
```

⑪
```
    0 . 1 5
  + 0 . 9 6
```

⑫
```
    0 . 5 4
  + 0 . 7 9
```

3주
4일

똑똑한 하루 계산법

• 1보다 큰 소수 두 자리 수의 덧셈

예 4.28+3.97의 계산

소수 둘째 자리	소수 첫째 자리	일의 자리

소수점끼리 맞추어 세로로 쓰고 같은 자리 수끼리 더합니다.

똑똑한 계산 연습

🐻 계산해 보세요.

①
```
  8.06
+ 1.53
```

②
```
  6.32
+ 3.47
```

③
```
  5.47
+ 1.51
```

④
```
  3.26
+ 1.45
```

⑤
```
  2.37
+ 5.46
```

⑥
```
  1.55
+ 4.17
```

⑦
```
  1.75
+ 2.48
```

⑧
```
  2.13
+ 3.88
```

⑨
```
  4.94
+ 2.87
```

⑩
```
  4.68
+ 6.58
```

⑪
```
  9.63
+ 2.55
```

⑫
```
  7.45
+ 5.79
```

기초 집중 연습

 계산해 보세요.

1-1 0.47＋0.39

1-2 0.38＋0.87

1-3 12.89＋7.44

1-4 2.46＋15.65

🐻 빈칸에 두 수의 합을 써넣으세요.

2-1

0.85	0.06

2-2

0.68	0.43

2-3

2.03	5.04

2-4

4.84	1.58

2-5

9.06	2.17

2-6

4.73	7.16

생활 속 계산

🐻 주어진 리본을 보고 어린이가 말하는 리본의 길이를 구하세요.

3-1

0.36 m

 빨간 리본은 초록 리본 보다 0.21 m 더 길어요.

빨간 리본의 길이: ☐ m

3-2

0.24 m

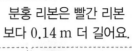 분홍 리본은 빨간 리본 보다 0.14 m 더 길어요.

분홍 리본의 길이: ☐ m

3-3

0.48 m

 노란 리본은 파란 리본 보다 0.64 m 더 길어요.

노란 리본의 길이: ☐ m

3-4

0.37 m

 주황 리본은 보라 리본 보다 0.18 m 더 길어요.

주황 리본의 길이: ☐ m

3주 4일

문장 읽고 계산식 세우기

4-1 감자 3.13 kg을 무게가 1.82 kg인 바구니에 담으면 감자를 담은 바구니 전체 무게는 몇 kg?

식 3.13 + ☐ = ☐ (kg)

4-2 양파 2.97 kg을 무게가 1.64 kg인 바구니에 담으면 양파를 담은 바구니 전체 무게는 몇 kg?

식 2.97 + ☐ = ☐ (kg)

똑똑한 하루 계산법

- (소수 두 자리 수)+(소수 한 자리 수)

  예 0.76+1.8의 계산

소수점끼리 맞추어 세로로 씁니다.

$$
\begin{array}{r}
0.7\ 6 \\
+\ 1.8\ 0 \\
\hline
6
\end{array}
$$

$6+0=6$

→ 소수의 오른쪽 끝 자리에 0을 붙여서 자연수의 덧셈처럼 계산합니다.

$$
\begin{array}{r}
\overset{1}{0}.7\ 6 \\
+\ 1.8\ 0 \\
\hline
5\ 6
\end{array}
$$

$7+8=15$

$$
\begin{array}{r}
\overset{1}{0}.7\ 6 \\
+\ 1.8\ 0 \\
\hline
2.5\ 6
\end{array}
$$

$1+1=2$

소수의 오른쪽 끝자리에 0을 붙여서 나타낼 수 있습니다.

$1.8=1.80$

똑똑한 계산 연습

제한 시간 4분

계산해 보세요.

①
```
    0 . 3 7
  + 0 . 4
```

②
```
    0 . 5 2
  + 1 . 3
```

③
```
    2 . 1 3
  + 4 . 8
```

④
```
    0 . 7 4
  + 0 . 8
```

⑤
```
    0 . 6 3
  + 0 . 6
```

⑥
```
    0 . 5 2
  + 0 . 9
```

⑦
```
    0 . 5 1
  + 2 . 7
```

⑧
```
    3 . 4 7
  + 0 . 8
```

⑨
```
    8 . 3 5
  + 0 . 9
```

⑩
```
    1 . 6 8
  + 4 . 6
```

⑪
```
    5 . 9 3
  + 2 . 4
```

⑫
```
    1 . 2 4
  + 6 . 8
```

3주 5일

자릿수가 다른 소수의 덧셈 ②

똑똑한 하루 계산법

• (소수 한 자리 수) + (소수 두 자리 수)

예 2.4 + 1.92의 계산

$$
\begin{array}{r}
2.4\ 0 \\
+\ 1.9\ 2 \\
\hline
2
\end{array}
\Rightarrow
\begin{array}{r}
{}^{1}\ \ \\
2.4\ 0 \\
+\ 1.9\ 2 \\
\hline
3\ 2
\end{array}
\Rightarrow
\begin{array}{r}
{}^{1}\ \ \\
2.4\ 0 \\
+\ 1.9\ 2 \\
\hline
4.3\ 2
\end{array}
$$

0+2=2   4+9=13   1+2+1=4

> **주의**
>
> 소수점끼리 맞추어 쓰지 않으면 계산
> 결과가 달라지므로 주의합니다.
>
> $$
> \begin{array}{r}
> {}^{1}\ \ \\
> 2.4 \\
> +\ 1.9\ 2 \\
> \hline
> 2.1\ 6\ (\times)
> \end{array}
> $$

똑똑한 계산 연습

🐻 계산해 보세요.

①
```
    0 . 3
+   0 . 2 9
```

②
```
    0 . 7
+   3 . 1 4
```

③
```
    2 . 7
+   5 . 1 8
```

④
```
    0 . 9
+   0 . 2 1
```

⑤
```
    0 . 5
+   0 . 8 3
```

⑥
```
    0 . 6
+   0 . 9 4
```

⑦
```
    4 . 7
+   0 . 7 2
```

⑧
```
    0 . 8
+   5 . 4 7
```

⑨
```
    3 . 9
+   0 . 2 5
```

⑩
```
    1 . 6
+   4 . 5 6
```

⑪
```
    2 . 7
+   2 . 4 8
```

⑫
```
    5 . 3
+   3 . 9 3
```

3주
5일

계산해 보세요.

1-1 0.54＋0.7

1-2 1.2＋0.39

1-3 5.75＋3.8

1-4 2.6＋4.67

 빈칸에 알맞은 수를 써넣으세요.

2-1

| 1.36 | ＋0.4 | |

2-2

| 0.7 | ＋2.55 | |

2-3

| 4.53 | ＋1.8 | |

2-4

| 1.6 | ＋3.09 | |

2-5

| 3.92 | ＋3.1 | |

2-6

| 2.4 | ＋6.81 | |

제한 시간 10분

생활 속 계산

🐻 거리는 몇 km인지 구하세요.

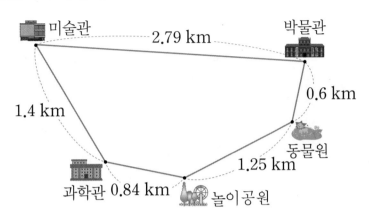

3-1

| 놀이공원 ~ 동물원 ~ 박물관 |

$1.25 + 0.6 =$ ☐ (km)

3-2

| 미술관 ~ 박물관 ~ 동물원 |

$2.79 + 0.6 =$ ☐ (km)

3-3

| 과학관 ~ 미술관 ~ 박물관 |

☐ km

3-4

| 미술관 ~ 과학관 ~ 놀이공원 |

☐ km

문장 읽고 계산식 세우기

4-1

빨간색 테이프 4.36 m, 파란색 테이프 2.7 m일 때 두 색 테이프의 길이의 합은 몇 m?

식 $4.36 +$ ☐ $=$ ☐ (m)

4-2

노란색 테이프 1.9 m, 초록색 테이프 3.24 m일 때 두 색 테이프의 길이의 합은 몇 m?

식 ☐ $+$ ☐ $=$ ☐ (m)

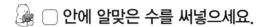 □ 안에 알맞은 수를 써넣으세요.

1 2.92는 ⎰ 1이 [ ] 개
⎱ 0.1이 9 개
0.01이 [ ] 개

2 5.14는 ⎰ 1이 [ ] 개
⎱ 0.1이 1 개
0.01이 [ ] 개

3 6.285는 ⎰ 1이 [ ] 개
0.1이 2 개
0.01이 [ ] 개
0.001이 5 개

4 3.746은 ⎰ 1이 3 개
0.1이 [ ] 개
0.01이 4 개
0.001이 [ ] 개

 두 수의 크기를 비교하여 ○ 안에 >, =, <를 알맞게 써넣으세요.

5 3.06 ○ 2.48

6 4.01 ○ 4.001

7 8.365 ○ 8.371

8 5.814 ○ 5.818

⏰ 제한 시간 10분

🐻 빈칸에 알맞은 수를 써넣으세요.

9 6.38 —10배→ ☐

10 2.147 —100배→ ☐

🐻 계산해 보세요.

11 0.4＋0.5

12 4.3＋5.6

13 0.35＋0.49

14 0.71＋0.56

15 5.07＋2.45

16 8.31＋3.57

17 0.62＋0.5

18 0.83＋0.6

19 12.04＋6.39

20 7.8＋2.59

3주
평가

제한 시간 안에 정확하게
모두 풀었다면 여러분은 진정한 **계산왕!**

십 리는 몇 km?

 우리나라 민요 아리랑을 듣고 있습니다. 가사 중 십 리는 몇 km인지 구하세요.

 1리가 0.39 km일 때, 십 리는 몇 km인지 구하세요.

$$0.39 \xrightarrow{\text{10배}} \boxed{}$$

답 _____ km

▶ 정답 및 풀이 18쪽

컴퓨터 암호를 풀어라!

 주어진 단서를 이용하여 엉뚱이 컴퓨터의 암호를 풀어 보세요.

힌트 ①
$$\begin{array}{r} 0.5 \\ + 0.7 \\ \hline \end{array}$$

힌트 ②
$$\begin{array}{r} 3.2 \\ + 1.5 \\ \hline \end{array}$$

힌트 ③
$$\begin{array}{r} 0.37 \\ + 2.68 \\ \hline \end{array}$$

힌트 ④
$$\begin{array}{r} 1.96 \\ + 1.4 \\ \hline \end{array}$$

3주
특강

힌트 ①~④의 계산 결과에서 소수 첫째 자리 수를 찾아 컴퓨터의 암호를 풀어 보세요.

① $\begin{array}{r} 0.5 \\ + 0.7 \\ \hline \end{array}$ ② $\begin{array}{r} 3.2 \\ + 1.5 \\ \hline \end{array}$ ③ $\begin{array}{r} 0.37 \\ + 2.68 \\ \hline \end{array}$ ④ $\begin{array}{r} 1.96 \\ + 1.4 \\ \hline \end{array}$

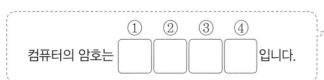

① ② ③ ④
컴퓨터의 암호는 ☐ ☐ ☐ ☐ 입니다.

 사람의 정상 체온은 36~38℃로 측정 부위와 나이에 따라 차이가 있을 수 있습니다. 똑똑이의 체온을 잰 것입니다. 밑줄 친 소수를 읽어 보세요.

체온이 너무 낮거나 높아도 우리 몸은 위험하니까 조심하세요.

답 _____

 꼼꼼이가 물과 기름을 한 컵에 부어 관찰하였더니 다음과 같이 되었습니다. 컵에 부은 물과 기름의 합은 몇 L일까요?

기름 0.24 L

물 0.29 L

물과 기름은 성질이 달라서 섞이지 않아요.

답 _____ L

융합 5 딸기는 향과 맛이 달콤하고 비타민이 풍부합니다. 딸기 농장 체험에서 딴 딸기로 케이크와 잼을 만들었습니다. 사용한 딸기는 모두 몇 kg일까요?

음식	 딸기 케이크	딸기 잼
사용한 딸기 무게(kg)	0.8	2.45

답 _____ kg

3주 특강

창의 6 자동차 등록번호의 뒷자리는 네 자리 수입니다. 힌트를 이용하여 자동차 등록번호의 뒤 네 자리 수를 구하세요.

●●●가 ☐☐☐☐

〈힌트〉
• 천의 자리 숫자: 0.357에서 소수 둘째 자리 숫자
• 백의 자리 숫자: 2.75에서 일의 자리 숫자
• 십의 자리 숫자: 3.641에서 소수 셋째 자리 숫자
• 일의 자리 숫자: 8.92에서 소수 첫째 자리 숫자

답 _____

 우사인 볼트가 세운 100 m 달리기 세계 신기록은 9.58초입니다. 민혁이의 100 m 달리기 기록은 몇 초일까요?

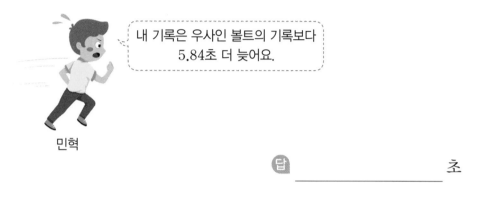

> 내 기록은 우사인 볼트의 기록보다 5.84초 더 늦어요.

민혁

답 _____ 초

창의 8 하윤이는 친구네 집에 놀러 가려고 합니다. 갈림길에서 더 큰 소수가 있는 길로 갔다면 하윤이가 도착한 곳은 누구네 집일까요?

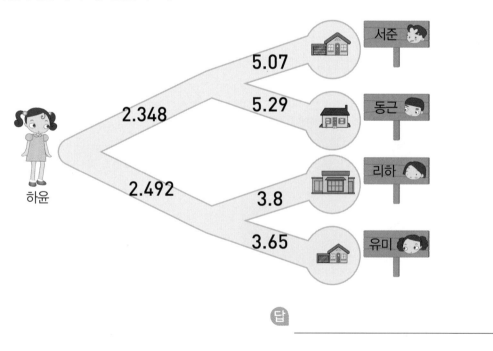

답 _____

▶ 정답 및 풀이 18쪽

코딩 9 규칙 에 따라 ㉠에 알맞은 수를 구하세요.

규칙

← 0.1 큰 수   ↑ $\dfrac{1}{10}$ → 0.01 큰 수   ↓ 10배

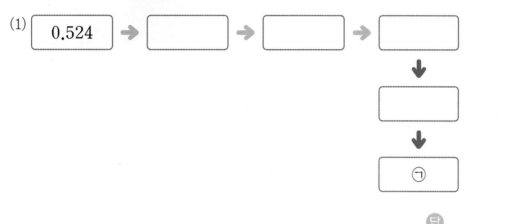

$\boxed{0.34}$
↑   , $\boxed{3.4}$ → $\boxed{3.41}$ 과 같이 돼요.
$\boxed{3.4}$

(1) $\boxed{0.524}$ → ☐ → ☐ → ☐

↓

☐

↓

$\boxed{㉠}$

답 _____

(2) ☐ ← ☐ ← ☐

↓   ↑

$\boxed{㉠}$ ☐

↑

☐ ← $\boxed{83.7}$

답 _____

똑똑한 하루 계산

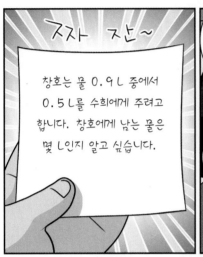

4주에 배울 내용을 알아볼까요? ②

4-2 자릿수가 같은 소수의 덧셈

소수의 덧셈도 자연수의
덧셈처럼 받아올림에
주의하여 계산해요.

이때 소수점은 그대로
내려 찍어요.

🐻 계산해 보세요.

1-1

```
    0 . 6
+   2 . 5
```

1-2

```
    4 . 9
+   1 . 3
```

1-3

```
    0 . 7 3
+   0 . 9 4
```

1-4

```
    2 . 5 5
+   6 . 8 7
```

4-2 자릿수가 다른 소수의 덧셈

엉뚱이는 1.3 m 저는 1.96 m를 뛰었어요. 합하면 몇 m죠?

1.3+1.96 =3.26이니까 3.26 m구나.

힝~ 난 다리가 짧아서 멀리뛰기가 힘들어……

소수점끼리 맞추어 세로로 쓰고 계산해요.
```
      1
    1 . 3
  + 1 . 9 6
  ─────────
    3 . 2 6
```

이때 1.3을 1.30으로 생각하고 계산하렴.

4주
1일

🐻 계산해 보세요.

2-1

	1 .	9	4
+	0 .	7	

2-2

	3 .	8	2
+	2 .	5	

2-3

	3 .	6	
+	0 .	6	9

2-4

	6 .	4	
+	1 .	8	3

똑똑한 하루 계산법

• 1보다 작은 소수 한 자리 수의 뺄셈

예) 0.9－0.5의 계산

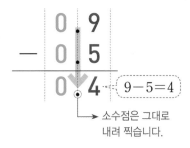

9－5＝4

→ 소수점은 그대로 내려 찍습니다.

소수점끼리 맞추어 세로로 쓰고 같은 자리 수끼리 빼요.

참고

┌ 0.9는 0.1이 9개
└ 0.5는 0.1이 5개
⇨ 0.9－0.5는 0.1이 4개이므로 0.4입니다.

○✕ 퀴즈

계산이 바르면 ○에, 틀리면 ✕에 ○표 하세요.

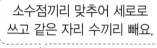

$$\begin{array}{r} 0.8 \\ -\ 0.6 \\ \hline 0.2 \end{array}$$

정답 ○에 ○표

똑똑한 계산 연습

 그림을 보고 ☐ 안에 알맞은 수를 써넣으세요.

①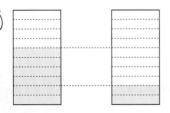

$$0.6 - 0.2 = \boxed{}$$

②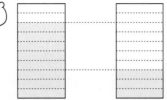

$$0.8 - 0.3 = \boxed{}$$

 계산해 보세요.

③
```
    0 . 4
  − 0 . 1
```

④
```
    0 . 5
  − 0 . 3
```

⑤
```
    0 . 7
  − 0 . 6
```

⑥
```
    0 . 3
  − 0 . 2
```

⑦
```
    0 . 9
  − 0 . 3
```

⑧
```
    0 . 8
  − 0 . 4
```

⑨
```
    0 . 9
  − 0 . 2
```

⑩
```
    0 . 7
  − 0 . 4
```

⑪
```
    0 . 6
  − 0 . 1
```

4주
1일

소수 한 자리 수의 뺄셈 ②

똑똑한 하루 계산법

  ○✕ 퀴즈

- 1보다 큰 소수 한 자리 수의 뺄셈

  예) 3.2-1.7의 계산

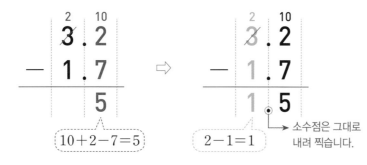

계산이 바르면 ○에,
틀리면 ✕에 ○표 하세요.

$$\begin{array}{r} 5.6 \\ -1.2 \\ \hline 3.4 \end{array}$$

 ○   ✕

소수점끼리 맞추어 세로로 쓰고
자연수의 뺄셈과 같은 방법으로 계산한 후
소수점을 그대로 내려 찍어요.

정답 ✕에 ○표

똑똑한 계산 연습

계산해 보세요.

①
$$
\begin{array}{r}
2.7 \\
- 1.3 \\
\hline
\end{array}
$$

②
$$
\begin{array}{r}
9.8 \\
- 0.6 \\
\hline
\end{array}
$$

③
$$
\begin{array}{r}
8.7 \\
- 3.6 \\
\hline
\end{array}
$$

④
$$
\begin{array}{r}
4.7 \\
- 0.2 \\
\hline
\end{array}
$$

⑤
$$
\begin{array}{r}
3.9 \\
- 1.4 \\
\hline
\end{array}
$$

⑥
$$
\begin{array}{r}
7.5 \\
- 6.1 \\
\hline
\end{array}
$$

⑦
$$
\begin{array}{r}
1.5 \\
- 0.8 \\
\hline
\end{array}
$$

⑧
$$
\begin{array}{r}
4.1 \\
- 1.6 \\
\hline
\end{array}
$$

⑨
$$
\begin{array}{r}
6.6 \\
- 4.9 \\
\hline
\end{array}
$$

⑩
$$
\begin{array}{r}
5.2 \\
- 1.4 \\
\hline
\end{array}
$$

⑪
$$
\begin{array}{r}
6.7 \\
- 0.9 \\
\hline
\end{array}
$$

⑫
$$
\begin{array}{r}
9.3 \\
- 5.7 \\
\hline
\end{array}
$$

4주 1일

🐻 ⬜ 안에 알맞은 수를 써넣으세요.

1-1

0.7은 0.1이 ⬜ 개입니다.

0.5는 0.1이 ⬜ 개입니다.

➡ 0.7−0.5는 0.1이 ⬜ 개이므로

⬜ 입니다.

1-2

4.2는 0.1이 ⬜ 개입니다.

1.3은 0.1이 ⬜ 개입니다.

➡ 4.2−1.3은 0.1이 ⬜ 개이

므로 ⬜ 입니다.

🐻 빈칸에 알맞은 수를 써넣으세요.

2-1

0.5 ➡ −0.1 ➡ ⬜

2-2

0.8 ➡ −0.2 ➡ ⬜

2-3

3.7 ➡ −0.6 ➡ ⬜

2-4

5.2 ➡ −0.8 ➡ ⬜

2-5

4.3 ➡ −1.9 ➡ ⬜

2-6

7.4 ➡ −3.5 ➡ ⬜

▶ 정답 및 풀이 19쪽

제한 시간 10분

생활 속 계산

🐻 미술 시간에 사용한 물감의 양입니다. 남은 물감은 몇 g인지 구하세요.

3-1

전체 물감
7.6 g

4.1 g

7.6 − 4.1 = ☐ (g)

3-2

전체 물감
5.2 g

1.8 g

5.2 − 1.8 = ☐ (g)

3-3

전체 물감
8.7 g

3.3 g

☐ − ☐ = ☐ (g)

3-4

전체 물감
9.3 g

6.5 g

☐ − ☐ = ☐ (g)

4주
1일

문장 읽고 계산식 세우기

4-1

직사각형의 가로가 4.8 cm, 세로가 1.3 cm일 때 가로와 세로의 차는?

 식   4.8 − 1.3 = ☐ (cm)

4-2

직사각형의 가로가 3.4 cm, 세로가 6.1 cm일 때 가로와 세로의 차는?

식   ☐ − ☐ = ☐ (cm)

소수 두 자리 수의 뺄셈 ①

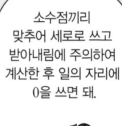

똑똑한 하루 계산법

• 1보다 작은 소수 두 자리 수의 뺄셈

예) 0.74－0.29의 계산

$$
\begin{array}{r}
0.\overset{6}{\cancel{7}}\,\overset{10}{4} \\
-\ 0.2\ 9 \\
\hline
5
\end{array}
$$

$\boxed{10+4-9=5}$

$$
\begin{array}{r}
0.\overset{6}{\cancel{7}}\,\overset{10}{4} \\
-\ 0.2\ 9 \\
\hline
4\ 5
\end{array}
$$

$\boxed{6-2=4}$

$$
\begin{array}{r}
0.\overset{6}{\cancel{7}}\,\overset{10}{4} \\
-\ 0.2\ 9 \\
\hline
0.4\ 5
\end{array}
$$

→ 소수점은 그대로 내려 찍습니다.

 소수점끼리 맞추어 세로로 쓰고 소수 둘째 자리의 차를 구해요.

그 다음 받아내림을 한 소수 첫째 자리의 차를 구하고 일의 자리에 0을 써요.

▶정답 및 풀이 20쪽

제한 시간 4분

🐻 계산해 보세요.

①
```
  0 . 0 8
- 0 . 0 2
```

②
```
  0 . 7 4
- 0 . 1 3
```

③
```
  0 . 2 9
- 0 . 0 6
```

④
```
  0 . 1 7
- 0 . 0 4
```

⑤
```
  0 . 5 6
- 0 . 3 5
```

⑥
```
  0 . 8 4
- 0 . 3 3
```

⑦
```
  0 . 7 2
- 0 . 0 5
```

⑧
```
  0 . 6 1
- 0 . 0 7
```

⑨
```
  0 . 3 2
- 0 . 1 9
```

⑩
```
  0 . 4 5
- 0 . 3 6
```

⑪
```
  0 . 8 1
- 0 . 6 4
```

⑫
```
  0 . 9 6
- 0 . 2 7
```

4주 2일

똑똑한 하루 계산법

• 1보다 큰 소수 두 자리 수의 뺄셈

예 2.17−1.53의 계산

$$
\begin{array}{r}
2.1\,7 \\
-\ 1.5\,3 \\
\hline
4
\end{array}
\quad\Rightarrow\quad
\begin{array}{r}
\overset{1}{2}.\overset{10}{1}\,7 \\
-\ 1.5\,3 \\
\hline
6\ 4
\end{array}
\quad\Rightarrow\quad
\begin{array}{r}
\overset{1}{2}.\overset{10}{1}\,7 \\
-\ 1.5\,3 \\
\hline
0.6\,4
\end{array}
$$

7−3=4   10+1−5=6   1−1=0

↳ 소수점은 그대로 내려 찍습니다.

 소수점끼리 맞추어 세로로 쓰고 소수 첫째 자리의 차와 소수 둘째 자리의 차를 각각 구해요.

 그 다음 받아내림을 한 일의 자리의 차를 구하고 소수점은 그대로 내려 찍어요.

똑똑한 계산 연습

🐻 계산해 보세요.

①
```
   3 . 2 8
-  0 . 1 4
---------
```

②
```
   2 . 7 4
-  1 . 3 3
---------
```

③
```
   5 . 6 8
-  2 . 4 2
---------
```

④
```
   8 . 1 8
-  2 . 3 5
---------
```

⑤
```
   3 . 1 5
-  0 . 9 1
---------
```

⑥
```
   4 . 0 9
-  1 . 7 5
---------
```

⑦
```
   6 . 9 2
-  3 . 4 7
---------
```

⑧
```
   5 . 8 4
-  1 . 3 9
---------
```

⑨
```
   8 . 3 3
-  4 . 2 6
---------
```

⑩
```
   7 . 1 3
-  0 . 7 7
---------
```

⑪
```
   6 . 5 2
-  3 . 8 4
---------
```

⑫
```
   9 . 2 1
-  4 . 8 5
---------
```

기초 집중 연습

 계산해 보세요.

1-1 0.79 − 0.28

1-2 0.63 − 0.37

1-3 2.14 − 1.21

1-4 5.85 − 2.86

 빈칸에 알맞은 수를 써넣으세요.

2-1   0.98

−0.26

2-2   3.15

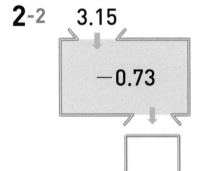
−0.73

2-3   6.54

−2.19

2-4   7.03

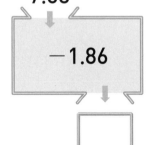
−1.86

제한 시간 10분

생활 속 계산

🐻📖 그림을 보고 과일의 무게는 몇 kg인지 구하세요.

3-1

3.07 kg   0.64 kg

3.07 − 0.64 = ☐ (kg)

3-2

1.95 kg   0.42 kg

1.95 − 0.42 = ☐ (kg)

3-3

3.46 kg   0.57 kg

3.46 − ☐ = ☐ (kg)

3-4

2.53 kg   0.28 kg

☐ − 0.28 = ☐ (kg)

4주
2일

문장 읽고 계산식 세우기

4-1 수현이의 키는 1.54 m이고, 주혁이는 수현이보다 0.16 m 작을 때 주혁이의 키는 몇 m?

식 1.54 − ☐ = ☐ (m)

4-2 파란색 테이프의 길이는 7.24 m이고, 초록색 테이프는 파란색 테이프보다 2.39 m 짧을 때 초록색 테이프의 길이는 몇 m?

식 7.24 − ☐ = ☐ (m)

자릿수가 다른 소수의 뺄셈 ①

우리 내일부터 새벽 운동 할래?

갑자기 웬 운동?

왜라니, 운동하면 건강해지고 살도 빠지고 좋잖아. 마지막으로……

마지막으로 좋은 건 뭔데?

이히히~ 그건 내일까지 비밀!

쉿!

엥?

내일 새벽 운동 나가려면 의뢰 들어온 문제들을 빨리 풀어 놓자!

그래. 어떤 문제부터 풀 건데?

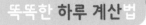 의뢰보관함

3.18−0.7의 계산이야.

아하!

0.7의 오른쪽 끝자리에 0을 붙여서 자연수의 뺄셈처럼 계산하면 돼.

정답은 2.48이구나!

$$\begin{array}{r} \overset{2}{\cancel{3}}.\overset{10}{1}\,8 \\ -\ 0.7\,0 \\ \hline 2.4\,8 \end{array}$$

똑똑한 하루 계산법

• (소수 두 자리 수)−(소수 한 자리 수)

예 3.18−0.7의 계산

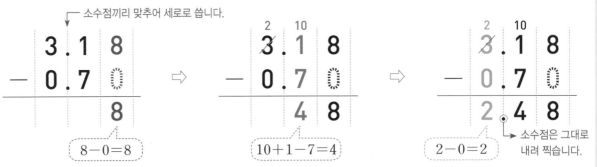

↱ 소수점끼리 맞추어 세로로 씁니다.

$$\begin{array}{r} 3.1\,8 \\ -\ 0.7\,0 \\ \hline 8 \end{array}$$
(8−0=8)

⇨

$$\begin{array}{r} \overset{2}{\cancel{3}}.\overset{10}{1}\,8 \\ -\ 0.7\,0 \\ \hline 4\,8 \end{array}$$
(10+1−7=4)

⇨

$$\begin{array}{r} \overset{2}{\cancel{3}}.\overset{10}{1}\,8 \\ -\ 0.7\,0 \\ \hline 2.4\,8 \end{array}$$
(2−0=2)
→ 소수점은 그대로 내려 찍습니다.

 소수의 오른쪽 끝자리에 0을 붙여서 자연수의 뺄셈처럼 계산해요.

참고

소수의 오른쪽 끝자리에 0을 붙여서 나타낼 수 있습니다.

0.7=0.70

🐻 계산해 보세요.

①
$$\begin{array}{r} 0.74 \\ -\ 0.2 \\ \hline \end{array}$$

②
$$\begin{array}{r} 1.63 \\ -\ 0.5 \\ \hline \end{array}$$

③
$$\begin{array}{r} 2.91 \\ -\ 0.6 \\ \hline \end{array}$$

④
$$\begin{array}{r} 5.82 \\ -\ 3.2 \\ \hline \end{array}$$

⑤
$$\begin{array}{r} 4.91 \\ -\ 1.6 \\ \hline \end{array}$$

⑥
$$\begin{array}{r} 7.54 \\ -\ 1.3 \\ \hline \end{array}$$

⑦
$$\begin{array}{r} 4.53 \\ -\ 0.9 \\ \hline \end{array}$$

⑧
$$\begin{array}{r} 3.22 \\ -\ 0.7 \\ \hline \end{array}$$

⑨
$$\begin{array}{r} 1.38 \\ -\ 0.6 \\ \hline \end{array}$$

⑩
$$\begin{array}{r} 3.29 \\ -\ 1.5 \\ \hline \end{array}$$

⑪
$$\begin{array}{r} 6.83 \\ -\ 2.9 \\ \hline \end{array}$$

⑫
$$\begin{array}{r} 9.06 \\ -\ 4.7 \\ \hline \end{array}$$

자릿수가 다른 소수의 뺄셈 ②

똑똑한 **하루 계산법**

• (소수 한 자리 수)−(소수 두 자리 수)

㉫ 5.6−2.69의 계산

소수점끼리 맞추어 세로로 씁니다.

$$
\begin{array}{r}
5.\overset{5}{\cancel{6}}\,\overset{10}{\cancel{0}} \\
-\,2.6\;\;9 \\
\hline
1
\end{array}
$$

$10-9=1$

$\Rightarrow$

$$
\begin{array}{r}
\overset{4}{\cancel{5}}.\overset{15}{\cancel{6}}\,\overset{10}{\cancel{0}} \\
-\,2.6\;\;9 \\
\hline
9\;\;1
\end{array}
$$

$15-6=9$

$\Rightarrow$

$$
\begin{array}{r}
\overset{4}{\cancel{5}}.\overset{15}{\cancel{6}}\,\overset{10}{\cancel{0}} \\
-\,2.6\;\;9 \\
\hline
2.9\;\;1
\end{array}
$$

$4-2=2$

소수점은 그대로 내려 찍습니다.

주의

5.6의 오른쪽 끝자리에 0을 생각하지 않고 9를 그대로 내려 쓰지 않도록 주의합니다.

$$
\begin{array}{r}
5.6 \\
-\,2.69 \\
\hline
3.09
\end{array}
$$ (×)

계산해 보세요.

①
```
    0 . 8
 -  0 . 1  4
```

②
```
    1 . 7
 -  0 . 2  3
```

③
```
    3 . 6
 -  0 . 5  9
```

④
```
    5 . 6
 -  1 . 3  1
```

⑤
```
    4 . 9
 -  2 . 1  7
```

⑥
```
    9 . 5
 -  8 . 2  5
```

⑦
```
    4 . 5
 -  0 . 8  4
```

⑧
```
    3 . 3
 -  0 . 7  2
```

⑨
```
    7 . 4
 -  0 . 6  9
```

⑩
```
    2 . 5
 -  1 . 8  9
```

⑪
```
    8 . 1
 -  2 . 5  2
```

⑫
```
    6 . 3
 -  3 . 9  4
```

4주 3일

기초 집중 연습

🐻 계산해 보세요.

1-1 1.78 − 0.5

1-2 3.5 − 0.17

1-3 4.51 − 2.6

1-4 6.3 − 5.52

🐻 빈칸에 알맞은 수를 써넣으세요.

2-1

| 1.64 | − 0.9 | |

2-2

| 0.8 | − 0.17 | |

2-3

| 3.52 | − 1.4 | |

2-4

| 4.3 | − 1.19 | |

2-5

| 7.01 | − 2.6 | |

2-6

| 6.5 | − 3.78 | |

⏰ 제한 시간 10분

생활 속 계산

🐻 친구들의 공 던지기 기록입니다. 기록의 차를 구하세요.

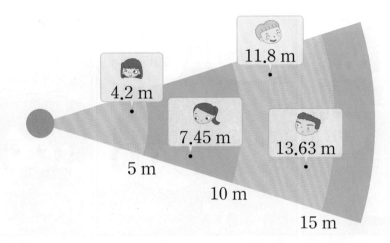

11.8 m

4.2 m

7.45 m

13.63 m

5 m

10 m

15 m

3-1 🧒 — 😊

⇨ **7.45 − 4.2 =** ☐ (m)

3-2 👦 — 😄

⇨ **13.63 − 11.8 =** ☐ (m)

3-3 👦 — 🧑

⇨ **13.63 −** ☐ **=** ☐ (m)

3-4 😄 — 🧒

⇨ ☐ **− 7.45 =** ☐ (m)

4주 3일

문장 읽고 계산식 세우기

4-1 우유 1.5 L 중에서 0.24 L를 마셨다면 남은 우유는 몇 L?

식 **1.5 − 0.24 =** ☐ (L)

4-2 보리차 3.27 L 중에서 1.6 L를 마셨다면 남은 보리차는 몇 L?

식 ☐ **−** ☐ **=** ☐ (L)

세 수의 덧셈, 뺄셈 ①

세 수의 덧셈은 앞에서부터 두 수씩 계산하면 돼.

$$1.3+0.4+2.8=4.5$$

1.7

4.5

똑똑한 하루 계산법

• 세 수의 덧셈

(예) $1.3+0.4+2.8$의 계산

방법 1 — 앞에서부터 두 수씩 계산하기

$$1.3+0.4+2.8=4.5$$

1.7

4.5

세 수의 덧셈은 계산 순서가 달라도 결과는 같아요.

방법 2 — 뒤의 두 수를 먼저 계산하기

$$1.3+0.4+2.8=4.5$$

3.2

4.5

○✗ 퀴즈

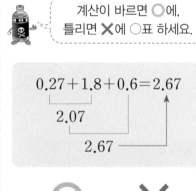

계산이 바르면 ○에, 틀리면 ✗에 ○표 하세요.

$$0.27+1.8+0.6=2.67$$

2.07

2.67

○   ✗

 정답 ○에 ○표

똑똑한 계산 연습

제한 시간 5분

□ 안에 알맞은 수를 써넣으세요.

① $2.3+1.4+5.5=$ □

② $4.8+0.9+2.1=$ □

③ $2.74+0.39+2.51=$ □

④ $5.7+1.09+2.77=$ □

⑤ $1.2+5.7+1.6=$ □

⑥ $7.4+1.4+0.8=$ □

⑦ $1.15+0.72+3.29=$ □

⑧ $1.58+3.9+2.08=$ □

세 수의 덧셈, 뺄셈 ②

4일

똑똑한 하루 계산법

• 세 수의 뺄셈

예) $8.7-1.3-0.6$의 계산 — 앞에서부터 차례로 계산하기

$$8.7-1.3-0.6=\mathbf{6.8}$$

7.4

6.8

주의

세 수의 뺄셈은 계산 순서가 바뀌면 계산 결과가 달라질 수 있으므로 주의합니다.

$8.7-1.3-0.6=8\ (\times)$

0.7

8

○× 퀴즈

계산이 바르면 ○에, 틀리면 ✕에 ○표 하세요.

$$4.2-1.9-0.5=2.8$$

1.4

2.8

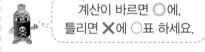

○　　✕

정답 ✕에 ○표

□ 안에 알맞은 수를 써넣으세요.

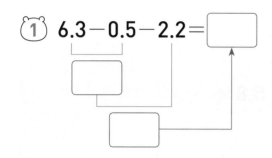

1 6.3 − 0.5 − 2.2 =

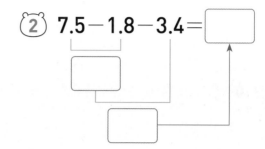

2 7.5 − 1.8 − 3.4 =

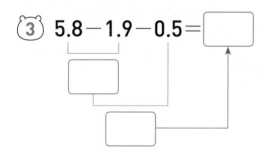

3 5.8 − 1.9 − 0.5 =

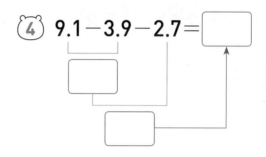

4 9.1 − 3.9 − 2.7 =

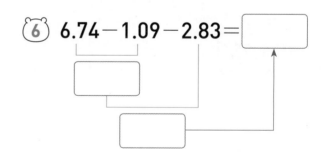

5 8.29 − 0.82 − 1.74 =

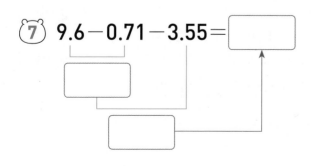

6 6.74 − 1.09 − 2.83 =

7 9.6 − 0.71 − 3.55 =

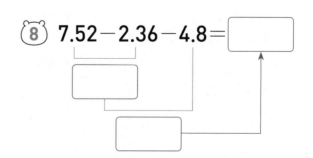

8 7.52 − 2.36 − 4.8 =

기초 집중 연습

🐻 빈칸에 알맞은 수를 써넣으세요.

1-1

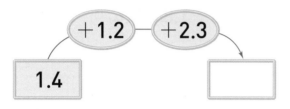

1.4 →(+1.2)→(+2.3)→ [ ]

1-2

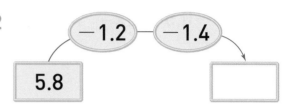

5.8 →(−1.2)→(−1.4)→ [ ]

1-3

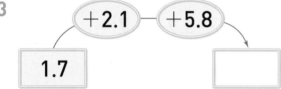

1.7 →(+2.1)→(+5.8)→ [ ]

1-4

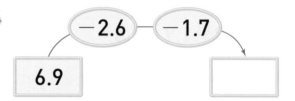

6.9 →(−2.6)→(−1.7)→ [ ]

1-5

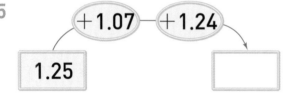

1.25 →(+1.07)→(+1.24)→ [ ]

1-6

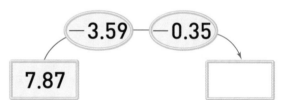

7.87 →(−3.59)→(−0.35)→ [ ]

🐻 관계있는 것끼리 선으로 이어 보세요.

2-1

1.31+2.54+2.6 •

1.62+3.2+1.7 •

• 6.18
• 6.45
• 6.52

2-2

6.12−1.8−2.94 •

9.4−3.6−1.52 •

• 4.28
• 2.18
• 1.38

⏰ 제한 시간 10분

생활 속 계산

🐻 책꽂이에 꽂혀 있는 책의 무게입니다. 무게의 합을 구하세요.

종류	동화책	위인전	만화책	사전	과학책
무게(kg)	0.7	1.63	0.8	2.15	1.4

3-1 동화책 + 위인전 + 만화책

[   ] kg

3-2 만화책 + 사전 + 과학책

[   ] kg

3-3 위인전 + 사전 + 과학책

[   ] kg

3-4 동화책 + 만화책 + 과학책

[   ] kg

4주
4일

4-1
7.8 m인 나무 막대를 세 도막으로 나눌 때 두 도막이 1.6 m, 2.5 m이면 나머지 한 도막의 길이는 몇 m?

식 7.8 - 1.6 - [   ] = [   ] (m)

4-2
리본 끈 8.2 m를 세 사람이 나누어 가질 때 두 사람이 1.4 m, 1.9 m를 가지면 나머지 한 사람이 가지는 리본 끈의 길이는 몇 m?

식 8.2 - [   ] - 1.9 = [   ] (m)

세 수의 덧셈과 뺄셈 ①

나야!

나야!

좋아. 그럼 삼촌한테 물어 보자!

그래!

너희 중 누가 더 수학 탐정 사무소의 보물이냐고?

저죠?

저죠?

음… 테스트를 해 보자. 4.3+0.9−2.5의 계산을 똑똑이가 해 보렴.

훗훗, 문제 없어요!

앞에서부터 차례로 계산하면 정답은 2.7!

$$4.3+0.9-2.5=2.7$$

5.2

2.7

맞아.

똑똑한 하루 계산법

• 세 수의 덧셈과 뺄셈

예 $4.3+0.9-2.5$ 의 계산 — 앞에서부터 차례로 계산하기

$$4.3+0.9-2.5=2.7$$

5.2

2.7

주의

세 수의 덧셈과 뺄셈은 계산 순서가 바뀌면 뺄 수 없는 경우가 생길 수 있습니다.

$4.3+0.9-2.5$

0.9에서 2.5를 뺄 수 없습니다.

○✗ 퀴즈

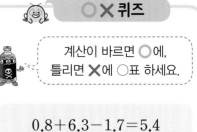

계산이 바르면 ○에, 틀리면 ✗에 ○표 하세요.

$$0.8+6.3-1.7=5.4$$

7.1

5.4

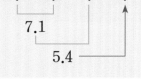

○   ✗

정답 ○에 ○표

똑똑한 계산 연습

🐻 □ 안에 알맞은 수를 써넣으세요.

1 $3.8+5.7-0.6=$ ☐

2 $0.9+6.3-2.4=$ ☐

3 $4.2+1.3-2.8=$ ☐

4 $6.5+1.9-4.7=$ ☐

5 $1.92+3.74-0.81=$ ☐

6 $5.15+2.66-3.79=$ ☐

7 $5.7+1.09-4.83=$ ☐

8 $4.07+2.36-1.9=$ ☐

세 수의 덧셈과 뺄셈 ②

이번엔 엉뚱이가 7.2－3.4＋0.5의 계산을 해 볼까?

네!

앞에서부터 차례로 계산하면 4.3이에요!

$$7.2-3.4+0.5=4.3$$
3.8
4.3

오~ 정답이구나!

서로 막상막하라서 우열을 가리기 힘들군.

시끌 시끌

저니까요!

아니죠, 저죠!

앞으로 한 달 동안 게으름 피우지 않고 누가 더 수학 공부를 열심히 하는지 봐서 말해 줄게!

씨익

헉!

엉뚱이 네가 보물이야.

아니야. 똑똑이 네가 보물이지.

하하하~

똑똑한 하루 계산법

• 세 수의 뺄셈과 덧셈

예 7.2－3.4＋0.5의 계산 — 앞에서부터 차례로 계산하기

$$7.2-3.4+0.5=4.3$$
3.8
4.3

세 수의 뺄셈과 덧셈은 앞에서부터 차례로 계산해야 해요. 이때 소수점의 위치를 주의하여 찍어요.

○✕ 퀴즈

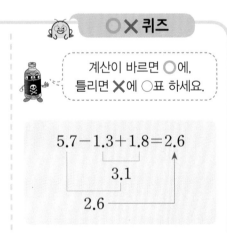

계산이 바르면 ○에, 틀리면 ✕에 ○표 하세요.

$$5.7-1.3+1.8=2.6$$
3.1
2.6

○　　✕

똑똑한 계산 연습

□ 안에 알맞은 수를 써넣으세요.

① $6.9 - 3.4 + 1.7 = $ ☐

② $4.6 - 2.8 + 0.3 = $ ☐

③ $5.7 - 1.9 + 5.4 = $ ☐

④ $8.1 - 4.2 + 2.5 = $ ☐

⑤ $2.06 - 0.73 + 1.18 = $ ☐

⑥ $7.45 - 3.19 + 1.71 = $ ☐

⑦ $8.5 - 2.91 + 0.7 = $ ☐

⑧ $6.07 - 4.5 + 3.28 = $ ☐

5^일 기초 집중 연습

🐻 빈칸에 알맞은 수를 써넣으세요.

1-1

| 0.9 | → | +1.5 | −0.6 |

↓

☐

1-2

| 3.2 | → | −1.7 | +0.8 |

↓

☐

1-3

| 3.8 | → | +1.4 | −2.3 |

↓

☐

1-4

| 5.9 | → | −4.6 | +1.7 |

↓

☐

1-5

| 2.51 | → | +3.25 | −1.92 |

↓

☐

1-6

| 3.46 | → | −0.89 | +2.41 |

↓

☐

🐻 관계있는 것끼리 선으로 이어 보세요.

2-1

4.7+3.1−2.39 •

6.98+1.5−2.7 •

• 5.78

• 5.41

• 5.08

2-2

3.14−1.08+2.6 •

9.5−4.38+1.2 •

• 4.66

• 5.84

• 6.32

제한 시간 | 10분

생활 속 계산

보기 와 같이 집에서 학교까지 갈 때 중간에 다른 장소를 거쳐 가면 바로 가는 것보다 몇 km 더 먼지 구하세요.

보기

⇨ 병원을 거쳐 가면 <u>0.4</u> km 더 멉니다.
→ 0.9+0.8−1.3

3-1

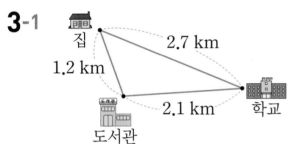

⇨ 도서관을 거쳐 가면 ☐ km 더 멉니다.

3-2

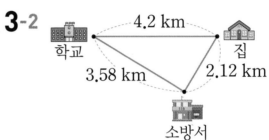

⇨ 소방서를 거쳐 가면 ☐ km 더 멉니다.

4주
5일

문장 읽고 계산식 세우기

4-1

과수원에서 딴 사과 5.8 kg 중에서 1.3 kg으로 주스를 만들고 4.7 kg을 더 땄다면 지금 있는 사과는 몇 kg?

식 $5.8 - 1.3 + \boxed{} = \boxed{}$ (kg)

4-2

밭에서 캔 고구마 3.16 kg 중에서 1.5 kg으로 맛탕을 만들고 3.09 kg을 더 캤다면 지금 있는 고구마는 몇 kg?

식 $3.16 - \boxed{} + \boxed{} = \boxed{}$ (kg)

 계산해 보세요.

1
```
   0.7
 - 0.2
```

2
```
   4.3
 - 1.5
```

3
```
   0.51
 - 0.26
```

4
```
   3.29
 - 1.73
```

5
```
   5.46
 - 2.18
```

6
```
   9.32
 - 4.75
```

7
```
   6.71
 - 2.4
```

8
```
   7.28
 - 5.9
```

9
```
   4.8
 - 0.65
```

10
```
   8.6
 - 4.73
```

⑪ $3.1-2.4$

⑫ $8.03-6.56$

⑬ $5.77-1.9$

⑭ $9.2-3.87$

⑮ $3.4+1.2+1.5$

⑯ $2.63+0.16+1.8$

4주

평가

⑰ $6.3-2.78-0.45$

⑱ $3.6+2.9-1.4$

⑲ $5.27-1.3+2.09$

⑳ $8.4-2.5+0.33$

제한 시간 안에 정확하게
모두 풀었다면 여러분은 진정한 계산왕!

그림의 제목은?

 친구들이 박물관에 갔습니다. 김홍도의 그림 제목을 알아보세요.

① 5.2−0.3 = ☐

② 7.3−2.6 = ☐

4.5	4.6	4.7	4.8	4.9
원	단	당	도	서

남은 털실의 길이는?

 아프리카 어린이에게 보낼 모자를 만들고 있습니다.

4주

특강

 털실 25.7 m가 있었는데 똑똑이가 8.54 m, 꼼꼼이가 9.2 m를 사용했을 때 남은 털실은 몇 m일까요?

$$25.7 - 8.54 - 9.2 = \boxed{}$$

답 _____ m

 **창의·융합·코딩**

융합 3 우리나라에 있는 오층석탑의 높이를 조사하여 나타낸 것입니다. 두 석탑의 높이의 차를 구하세요.

석탑		
	경주 나원리 오층석탑	부여 정림사지 오층석탑
높이	8.8 m	8.33 m

답 _____ m

창의 4 사다리를 타면서 만나는 계산 방법에 따라 도착한 곳에 계산 결과를 써넣으세요.

선을 따라 내려가다가 가로로 놓인 선을 만나면 가로선을 따라 가요.

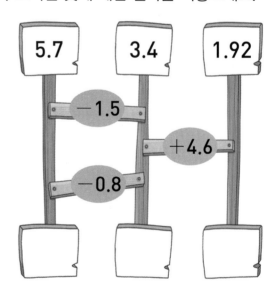

열량을 나타내는 단위로 '킬로칼로리'라고 읽습니다.

창의 5 연주가 점심에 먹은 햄버거 세트입니다. 음식으로 섭취한 열량의 합은 몇 kcal일까요?

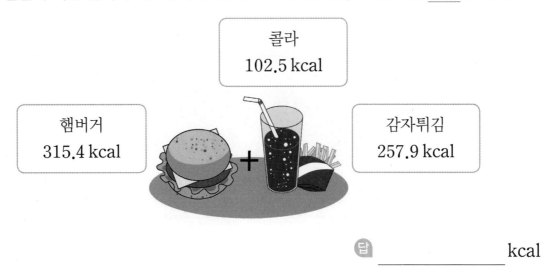

콜라
102.5 kcal

햄버거
315.4 kcal

감자튀김
257.9 kcal

답 _____ kcal

코딩 6 어떤 수의 계산 과정을 나타낸 순서도입니다. 시작 수가 9.7일 때 출력된 수를 구하세요.

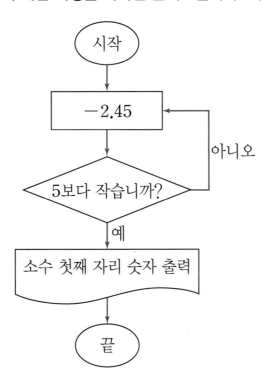

시작

−2.45

아니오

5보다 작습니까?

예

소수 첫째 자리 숫자 출력

끝

예를 들어 시작 수가
6.87이면
6.87−2.45=4.42이고,
4.42는 5보다 작으므로
출력된 수는 소수 첫째
자리 숫자인 4예요.

답 _____

4주
특강

남규는 제주도의 걷기 좋은 길들을 선정하여 개발한 제주 올레길을 걸어보려고 합니다. 물음에 답하세요.

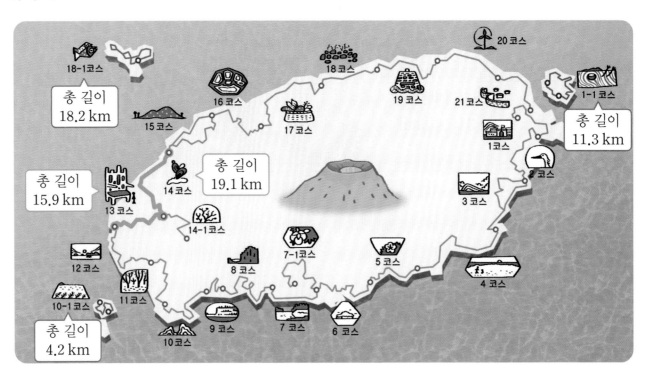

융합 7 남규는 제주 올레길 13, 14코스 중 더 짧은 코스를 걸으려고 합니다. 어느 코스가 몇 km 더 짧은가요?

답 _____ 코스, _____ km

융합 8 제주도 주변의 섬을 걷는 3가지 올레길 코스의 거리의 합은 몇 km인가요?

 올레길 1−1코스는 우도를, 10−1코스는 가파도를, 18−1코스는 추자도를 걷는 코스예요.

답 _____ km

융합 9 소수를 0.1, 0.2와 같이 나타내는 것은 1617년 네이피어가 소개한 방법이고, **보기**는 1585년 스테빈이 소개한 방법입니다. **보기**와 같이 스테빈이 소개한 방법으로 나타낸 소수를 계산해 보세요.

> **보기**
>
> $0.6 \Rightarrow 0⓪6①, \quad 3.15 \Rightarrow 3⓪1①5②$

$$6⓪3①8② - 1⓪5①4② = \boxed{}$$

융합 10 어느 해 서울의 강수량을 조사하여 나타낸 것입니다. 강수량이 가장 많은 계절과 가장 적은 계절의 강수량의 차는 몇 mm일까요?

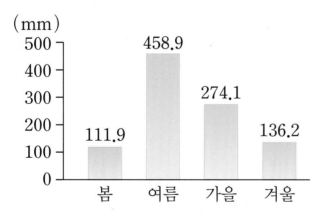

땅에 떨어진 비, 눈 등의 양을 강수량이라고 하며 mm를 사용해요.

답 _____ mm

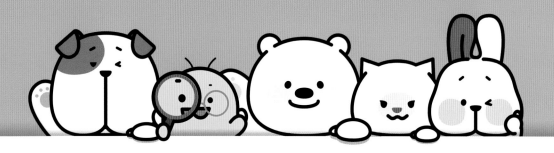

⊠ 쉽다!

10분이면 하루치 공부를 마칠 수 있는 커리큘럼으로,
아이들이 초등 학습에 쉽고 재미있게 접근할 수 있도록 구성하였습니다.

🧩 재미있다!

교과서는 물론 생활 속에서 쉽게 접할 수 있는 다양한 소재와
재미있는 게임 형식의 문제로 흥미로운 학습이 가능합니다.

📖 똑똑하다!

초등학생에게 꼭 필요한 학습 지식 습득은 물론
창의력 확장까지 가능한 교재로 올바른 공부습관을 가지는 데 도움을 줍니다.

정답 및 풀이

초등
수학 **4B**
4학년 수준

 천재교육

정답 및 풀이
포인트 3가지

▶ 혼자서도 이해할 수 있는 문제 풀이

▶ 자세한 풀이 제시

▶ 참고·주의 등 풍부한 보충 설명

1주 · 분수의 덧셈

1주에 배울 내용을 알아볼까요? ②

1-1 가 **1**-2 진 **1**-3 대

2-1 $1\frac{1}{3}$ **2**-2 $2\frac{2}{5}$

3-1 $\frac{7}{5}$, $\frac{11}{7}$ **3**-2 $\frac{13}{6}$, $\frac{19}{8}$

3-3 $1\frac{3}{5}$, $1\frac{3}{6}$ **3**-4 $1\frac{2}{9}$, $1\frac{3}{4}$

똑똑한 계산 연습

① 4, $\frac{5}{6}$ ② 2, $\frac{5}{8}$ ③ 1, $\frac{4}{7}$

④ 3, $\frac{8}{11}$ ⑤ $\frac{4}{5}$ ⑥ $\frac{7}{9}$

⑦ $\frac{7}{8}$ ⑧ $\frac{6}{11}$ ⑨ $\frac{6}{7}$

⑩ $\frac{9}{13}$ ⑪ $\frac{8}{10}$ ⑫ $\frac{9}{12}$

똑똑한 계산 연습

① 4, 7, 1, 2 ② 6, 10, 1, 3

③ $1\frac{1}{6}$ ④ $1\frac{2}{9}$ ⑤ $1\frac{3}{8}$

⑥ $1\frac{3}{10}$ ⑦ $1\frac{2}{4}$ ⑧ $1\frac{2}{11}$

⑨ $1\frac{4}{15}$ ⑩ $1\frac{1}{12}$

⑦ $\frac{3}{4}+\frac{3}{4}=\frac{3+3}{4}=\frac{6}{4}=1\frac{2}{4}$

⑧ $\frac{7}{11}+\frac{6}{11}=\frac{7+6}{11}=\frac{13}{11}=1\frac{2}{11}$

⑨ $\frac{9}{15}+\frac{10}{15}=\frac{9+10}{15}=\frac{19}{15}=1\frac{4}{15}$

⑩ $\frac{4}{12}+\frac{9}{12}=\frac{4+9}{12}=\frac{13}{12}=1\frac{1}{12}$

기초 집중 연습

1-1 $\frac{5}{6}$ **1**-2 $\frac{3}{5}$ **1**-3 $\frac{7}{8}$

1-4 $\frac{7}{9}$ **2**-1 $1\frac{4}{6}$ **2**-2 $1\frac{4}{7}$

2-3 $1\frac{4}{9}$ **2**-4 $1\frac{1}{12}$ **3**-1 $\frac{7}{9}$

3-2 $\frac{6}{7}$ **3**-3 $1\frac{4}{12}$ **3**-4 $1\frac{2}{10}$

4-1 $\frac{5}{7}$ **4**-2 $\frac{8}{12}$, $1\frac{1}{12}$

3-3 $\frac{9}{12}+\frac{7}{12}=\frac{9+7}{12}=\frac{16}{12}=1\frac{4}{12}$ (L)

3-4 $\frac{7}{10}+\frac{5}{10}=\frac{7+5}{10}=\frac{12}{10}=1\frac{2}{10}$ (L)

4-1 (파란색 끈의 길이)＋(초록색 끈의 길이)

$=\frac{1}{7}+\frac{4}{7}=\frac{1+4}{7}=\frac{5}{7}$ (m)

4-2 (노란색 끈의 길이)＋(분홍색 끈의 길이)

$=\frac{5}{12}+\frac{8}{12}=\frac{5+8}{12}=\frac{13}{12}=1\frac{1}{12}$ (m)

똑똑한 계산 연습

① 1, 3, 3 ② 2, 11, 5

③ 2, 5, 5 ④ 2, 11, 3

⑤ $1\frac{5}{7}$ ⑥ $2\frac{5}{9}$

⑦ $2\frac{6}{8}$ ⑧ $3\frac{5}{6}$

⑨ $2\frac{7}{10}$ ⑩ $1\frac{9}{12}$

⑦ $2\frac{3}{8}+\frac{3}{8}=2+\left(\frac{3}{8}+\frac{3}{8}\right)=2+\frac{6}{8}=2\frac{6}{8}$

⑧ $3\frac{1}{6}+\frac{4}{6}=3+\left(\frac{1}{6}+\frac{4}{6}\right)=3+\frac{5}{6}=3\frac{5}{6}$

⑨ $2\frac{5}{10}+\frac{2}{10}=2+\left(\frac{5}{10}+\frac{2}{10}\right)=2+\frac{7}{10}=2\frac{7}{10}$

⑩ $1\frac{5}{12}+\frac{4}{12}=1+\left(\frac{5}{12}+\frac{4}{12}\right)=1+\frac{9}{12}=1\frac{9}{12}$

정답 및 풀이

17쪽	똑똑한 계산 연습

1 1, 3, 3 　　　　2 8, 17, 2, 5

3 $4\frac{5}{6}$ 　　　　4 $5\frac{6}{9}$

5 $3\frac{6}{8}$ 　　　　6 $7\frac{7}{11}$

7 $7\frac{10}{12}$ 　　　　8 $6\frac{5}{7}$

9 $6\frac{9}{14}$ 　　　　10 $8\frac{6}{8}$

7 $3\frac{7}{12}+4\frac{3}{12}=(3+4)+\left(\frac{7}{12}+\frac{3}{12}\right)$
$=7+\frac{10}{12}=7\frac{10}{12}$

8 $4\frac{2}{7}+2\frac{3}{7}=(4+2)+\left(\frac{2}{7}+\frac{3}{7}\right)=6+\frac{5}{7}=6\frac{5}{7}$

9 $1\frac{7}{14}+5\frac{2}{14}=(1+5)+\left(\frac{7}{14}+\frac{2}{14}\right)$
$=6+\frac{9}{14}=6\frac{9}{14}$

10 $3\frac{4}{8}+5\frac{2}{8}=(3+5)+\left(\frac{4}{8}+\frac{2}{8}\right)=8+\frac{6}{8}=8\frac{6}{8}$

18~19쪽	기초 집중 연습

1-1 $1\frac{4}{7}$ 　　　　1-2 $2\frac{7}{9}$

1-3 $5\frac{6}{8}$ 　　　　1-4 $7\frac{7}{10}$

2-1 $2\frac{9}{11}$ 　　　　2-2 $3\frac{10}{12}$

2-3 $6\frac{4}{8}$ 　　　　2-4 $7\frac{12}{14}$

3-1 $3\frac{6}{9}$ 　　　　3-2 $3\frac{9}{10}$

3-3 $5\frac{6}{11}$ 　　　　3-4 $8\frac{4}{12}$

4-1 $\frac{2}{7}$, $1\frac{6}{7}$ 　　　　4-2 $1\frac{3}{9}$, $3\frac{7}{9}$

3-1 (집~도서관)+(도서관~공원)
$=1\frac{5}{9}+2\frac{1}{9}=(1+2)+\left(\frac{5}{9}+\frac{1}{9}\right)$
$=3+\frac{6}{9}=3\frac{6}{9}$ (km)

3-2 (집~마트)+(마트~공원)
$=2\frac{4}{10}+1\frac{5}{10}=(2+1)+\left(\frac{4}{10}+\frac{5}{10}\right)$
$=3+\frac{9}{10}=3\frac{9}{10}$ (km)

3-3 (집~병원)+(병원~공원)
$=2\frac{5}{11}+3\frac{1}{11}=(2+3)+\left(\frac{5}{11}+\frac{1}{11}\right)$
$=5+\frac{6}{11}=5\frac{6}{11}$ (km)

3-4 (집~우체국)+(우체국~공원)
$=4\frac{3}{12}+4\frac{1}{12}=(4+4)+\left(\frac{3}{12}+\frac{1}{12}\right)$
$=8+\frac{4}{12}=8\frac{4}{12}$ (km)

21쪽	똑똑한 계산 연습

1 5, 9, 1, 2, 3, 2 　　　　2 3, 11, 2, 1

3 $4\frac{1}{5}$ 　　　　4 $5\frac{3}{9}$

5 $3\frac{2}{10}$ 　　　　6 $6\frac{4}{7}$

7 $4\frac{3}{10}$ 　　　　8 $7\frac{2}{11}$

9 $6\frac{1}{12}$ 　　　　10 $3\frac{1}{14}$

9 $5\frac{9}{12}+\frac{4}{12}=5+\left(\frac{9}{12}+\frac{4}{12}\right)=5+\frac{13}{12}$
$=5+1\frac{1}{12}=6\frac{1}{12}$

10 $2\frac{6}{14}+\frac{9}{14}=2+\left(\frac{6}{14}+\frac{9}{14}\right)=2+\frac{15}{14}$
$=2+1\frac{1}{14}=3\frac{1}{14}$

23쪽   똑똑한 계산 연습

① 7, 1, 1, 4, 1   ② 19, 30, 4, 2

③ $5\frac{2}{9}$ ④ $8\frac{2}{8}$

⑤ $8\frac{4}{10}$ ⑥ $4\frac{3}{15}$

⑦ $6\frac{3}{11}$ ⑧ $7\frac{4}{12}$

⑨ $5\frac{1}{14}$ ⑩ $8\frac{5}{13}$

⑦ $3\frac{8}{11}+2\frac{6}{11}=(3+2)+\left(\frac{8}{11}+\frac{6}{11}\right)=5+\frac{14}{11}$
$$=5+1\frac{3}{11}=6\frac{3}{11}$$

⑧ $5\frac{7}{12}+1\frac{9}{12}=(5+1)+\left(\frac{7}{12}+\frac{9}{12}\right)=6+\frac{16}{12}$
$$=6+1\frac{4}{12}=7\frac{4}{12}$$

⑨ $2\frac{8}{14}+2\frac{7}{14}=(2+2)+\left(\frac{8}{14}+\frac{7}{14}\right)=4+\frac{15}{14}$
$$=4+1\frac{1}{14}=5\frac{1}{14}$$

⑩ $4\frac{6}{13}+3\frac{12}{13}=(4+3)+\left(\frac{6}{13}+\frac{12}{13}\right)=7+\frac{18}{13}$
$$=7+1\frac{5}{13}=8\frac{5}{13}$$

24~25쪽   기초 집중 연습

1-1 $2\frac{2}{9}$ **1-2** $3\frac{3}{8}$

1-3 $4\frac{5}{10}$ **1-4** $3\frac{2}{11}$

2-1 $4\frac{2}{7}$ **2-2** $4\frac{2}{10}$

2-3 $5\frac{3}{12}$ **2-4** $7\frac{3}{14}$

3-1 $4\frac{7}{13}$ **3-2** $6\frac{2}{13}$

3-3 $5\frac{4}{13}$ **3-4** $5\frac{5}{13}$

4-1 $\frac{9}{10}$, $2\frac{5}{10}$ **4-2** $1\frac{7}{11}$, $3\frac{1}{11}$

3-1 (강아지 사료 무게)+(토끼 사료 무게)
$$=2\frac{9}{13}+1\frac{11}{13}=(2+1)+\left(\frac{9}{13}+\frac{11}{13}\right)$$
$$=3+\frac{20}{13}=3+1\frac{7}{13}=4\frac{7}{13}\,(\text{kg})$$

3-2 (고양이 사료 무게)+(새 사료 무게)
$$=3\frac{7}{13}+2\frac{8}{13}=(3+2)+\left(\frac{7}{13}+\frac{8}{13}\right)$$
$$=5+\frac{15}{13}=5+1\frac{2}{13}=6\frac{2}{13}\,(\text{kg})$$

3-3 (새 사료 무게)+(강아지 사료 무게)
$$=2\frac{8}{13}+2\frac{9}{13}=(2+2)+\left(\frac{8}{13}+\frac{9}{13}\right)$$
$$=4+\frac{17}{13}=4+1\frac{4}{13}=5\frac{4}{13}\,(\text{kg})$$

3-4 (토끼 사료 무게)+(고양이 사료 무게)
$$=1\frac{11}{13}+3\frac{7}{13}=(1+3)+\left(\frac{11}{13}+\frac{7}{13}\right)$$
$$=4+\frac{18}{13}=4+1\frac{5}{13}=5\frac{5}{13}\,(\text{kg})$$

27쪽   똑똑한 계산 연습

① 3, 3, 8   ② 2, 3, 9

③ $\frac{5}{7}$ ④ $\frac{7}{10}$

⑤ $\frac{9}{11}$ ⑥ $\frac{11}{13}$

⑦ $\frac{10}{15}$ ⑧ $\frac{17}{20}$

⑨ $\frac{11}{14}$ ⑩ $\frac{22}{27}$

29쪽   똑똑한 계산 연습

① 2, 1, 3, 6, 3, 6   ② 2, 46, 4, 6

③ $3\frac{8}{12}$ ④ $6\frac{9}{11}$

⑤ $6\frac{6}{8}$ ⑥ $3\frac{9}{15}$

⑦ $6\frac{7}{10}$ ⑧ $7\frac{10}{14}$

⑨ $8\frac{12}{13}$ ⑩ $9\frac{17}{25}$

9️⃣ $6\dfrac{4}{13}+2\dfrac{5}{13}+\dfrac{3}{13}$

$=(6+2)+\left(\dfrac{4}{13}+\dfrac{5}{13}+\dfrac{3}{13}\right)$

$=8+\dfrac{12}{13}=8\dfrac{12}{13}$

🔟 $\dfrac{3}{25}+4\dfrac{8}{25}+5\dfrac{6}{25}$

$=(4+5)+\left(\dfrac{3}{25}+\dfrac{8}{25}+\dfrac{6}{25}\right)$

$=9+\dfrac{17}{25}=9\dfrac{17}{25}$

30~31쪽　기초 집중 연습

1-1 $\dfrac{9}{11}$ 　　　**1-2** $\dfrac{13}{16}$

1-3 $6\dfrac{6}{14}$ 　　**1-4** $4\dfrac{9}{12}$

2-1 $\dfrac{5}{8}$ 　　　**2-2** $\dfrac{7}{10}$

2-3 $7\dfrac{6}{9}$ 　　**2-4** $7\dfrac{6}{7}$

3-1 $1\dfrac{7}{9}$ 　　**3-2** $3\dfrac{9}{10}$

3-3 $4\dfrac{11}{12}$ 　　**3-4** $2\dfrac{14}{15}$

4-1 $1\dfrac{3}{7},\ 2\dfrac{6}{7}$ 　**4-2** $\dfrac{2}{6},\ 2\dfrac{5}{6}$

3-3 $3\dfrac{1}{12}+1\dfrac{2}{12}+\dfrac{8}{12}$

$=(3+1)+\left(\dfrac{1}{12}+\dfrac{2}{12}+\dfrac{8}{12}\right)$

$=4+\dfrac{11}{12}=4\dfrac{11}{12}\ (\text{L})$

3-4 $2\dfrac{3}{15}+\dfrac{5}{15}+\dfrac{6}{15}=2+\left(\dfrac{3}{15}+\dfrac{5}{15}+\dfrac{6}{15}\right)$

$=2+\dfrac{14}{15}=2\dfrac{14}{15}\ (\text{L})$

4-2 (선영이가 사용한 길이)+(유경이가 사용한 길이)
　　+(형규가 사용한 길이)

$=1\dfrac{2}{6}+1\dfrac{1}{6}+\dfrac{2}{6}=2\dfrac{5}{6}\ (\text{m})$

33쪽　똑똑한 계산 연습

1️⃣ 3, 4, 9, 1, 4 　　2️⃣ 2, 3, 10, 1, 4

3️⃣ $1\dfrac{6}{10}$ 　　　4️⃣ $1\dfrac{6}{11}$

5️⃣ $1\dfrac{2}{4}$ 　　　6️⃣ $1\dfrac{3}{7}$

7️⃣ $1\dfrac{6}{12}$ 　　　8️⃣ $1\dfrac{2}{3}$

9️⃣ $1\dfrac{2}{15}$ 　　　🔟 $1\dfrac{8}{13}$

9️⃣ $\dfrac{8}{15}+\dfrac{4}{15}+\dfrac{5}{15}=\dfrac{8+4+5}{15}=\dfrac{17}{15}=1\dfrac{2}{15}$

🔟 $\dfrac{7}{13}+\dfrac{10}{13}+\dfrac{4}{13}=\dfrac{7+10+4}{13}=\dfrac{21}{13}=1\dfrac{8}{13}$

35쪽　똑똑한 계산 연습

1️⃣ 4, 9, 1, 4, 4, 4 　　2️⃣ 5, 38, 5, 3

3️⃣ $7\dfrac{6}{8}$ 　　　4️⃣ 7

5️⃣ $10\dfrac{2}{4}$ 　　　6️⃣ $8\dfrac{5}{9}$

7️⃣ $10\dfrac{6}{10}$ 　　　8️⃣ $5\dfrac{9}{12}$

9️⃣ $11\dfrac{4}{15}$ 　　　🔟 $10\dfrac{3}{13}$

8️⃣ $2\dfrac{4}{12}+\dfrac{8}{12}+2\dfrac{9}{12}$

$=(2+2)+\left(\dfrac{4}{12}+\dfrac{8}{12}+\dfrac{9}{12}\right)$

$=4+\dfrac{21}{12}=4+1\dfrac{9}{12}=5\dfrac{9}{12}$

9️⃣ $4\dfrac{8}{15}+6\dfrac{9}{15}+\dfrac{2}{15}$

$=(4+6)+\left(\dfrac{8}{15}+\dfrac{9}{15}+\dfrac{2}{15}\right)$

$=10+\dfrac{19}{15}=10+1\dfrac{4}{15}=11\dfrac{4}{15}$

🔟 $\dfrac{8}{13}+5\dfrac{6}{13}+4\dfrac{2}{13}$

$=(5+4)+\left(\dfrac{8}{13}+\dfrac{6}{13}+\dfrac{2}{13}\right)$

$=9+\dfrac{16}{13}=9+1\dfrac{3}{13}=10\dfrac{3}{13}$

1-1 $2\dfrac{2}{6}$ 　　　　**1**-2 $12\dfrac{7}{11}$

2-1 $1\dfrac{7}{8}$ 　　　　**2**-2 $1\dfrac{8}{12}$

2-3 $7\dfrac{6}{9}$ 　　　　**2**-4 $6\dfrac{4}{5}$

3-1 $4\dfrac{4}{7}$ 　　　　**3**-2 $6\dfrac{10}{11}$

4-1 $\dfrac{3}{5}$, $4\dfrac{3}{5}$ 　　　**4**-2 $1\dfrac{5}{6}$, $3\dfrac{4}{6}$

3-1 $2\dfrac{1}{7}+1\dfrac{4}{7}+\dfrac{6}{7}=(2+1)+\left(\dfrac{1}{7}+\dfrac{4}{7}+\dfrac{6}{7}\right)$
$$=3+\dfrac{11}{7}=3+1\dfrac{4}{7}=4\dfrac{4}{7}\ (\text{kg})$$

3-2 $\dfrac{9}{11}+2\dfrac{7}{11}+3\dfrac{5}{11}$
$$=(2+3)+\left(\dfrac{9}{11}+\dfrac{7}{11}+\dfrac{5}{11}\right)$$
$$=5+\dfrac{21}{11}=5+1\dfrac{10}{11}=6\dfrac{10}{11}\ (\text{kg})$$

❶ $\dfrac{5}{7}$ 　　❷ $\dfrac{7}{10}$ 　　❸ 1

❹ $1\dfrac{3}{14}$ 　❺ $1\dfrac{1}{17}$ 　❻ $1\dfrac{6}{9}$

❼ $5\dfrac{6}{8}$ 　　❽ $4\dfrac{1}{13}$ 　❾ $10\dfrac{3}{11}$

❿ $9\dfrac{4}{6}$ 　　⓫ $7\dfrac{7}{8}$ 　⓬ $11\dfrac{3}{9}$

⓭ $7\dfrac{2}{15}$ 　⓮ $13\dfrac{4}{10}$ 　⓯ $\dfrac{11}{13}$

⓰ $1\dfrac{6}{12}$ 　⓱ $3\dfrac{9}{16}$ 　⓲ $6\dfrac{16}{21}$

⓳ $9\dfrac{12}{14}$ 　⓴ $6\dfrac{8}{25}$

❼ $5\dfrac{3}{8}+\dfrac{3}{8}=5+\left(\dfrac{3}{8}+\dfrac{3}{8}\right)=5+\dfrac{6}{8}=5\dfrac{6}{8}$

❽ $3\dfrac{8}{13}+\dfrac{6}{13}=3+\left(\dfrac{8}{13}+\dfrac{6}{13}\right)=3+\dfrac{14}{13}$
$$=3+1\dfrac{1}{13}=4\dfrac{1}{13}$$

❾ $9\dfrac{4}{11}+\dfrac{10}{11}=9+\left(\dfrac{4}{11}+\dfrac{10}{11}\right)=9+\dfrac{14}{11}$
$$=9+1\dfrac{3}{11}=10\dfrac{3}{11}$$

❿ $8\dfrac{3}{6}+1\dfrac{1}{6}=(8+1)+\left(\dfrac{3}{6}+\dfrac{1}{6}\right)$
$$=9+\dfrac{4}{6}=9\dfrac{4}{6}$$

⓫ $4\dfrac{5}{8}+3\dfrac{2}{8}=(4+3)+\left(\dfrac{5}{8}+\dfrac{2}{8}\right)$
$$=7+\dfrac{7}{8}=7\dfrac{7}{8}$$

⓬ $6\dfrac{5}{9}+4\dfrac{7}{9}=(6+4)+\left(\dfrac{5}{9}+\dfrac{7}{9}\right)$
$$=10+\dfrac{12}{9}=10+1\dfrac{3}{9}=11\dfrac{3}{9}$$

⓭ $2\dfrac{11}{15}+4\dfrac{6}{15}=(2+4)+\left(\dfrac{11}{15}+\dfrac{6}{15}\right)$
$$=6+\dfrac{17}{15}=6+1\dfrac{2}{15}=7\dfrac{2}{15}$$

⓮ $7\dfrac{8}{10}+5\dfrac{6}{10}=(7+5)+\left(\dfrac{8}{10}+\dfrac{6}{10}\right)$
$$=12+\dfrac{14}{10}=12+1\dfrac{4}{10}$$
$$=13\dfrac{4}{10}$$

⓯ $\dfrac{2}{13}+\dfrac{5}{13}+\dfrac{4}{13}=\dfrac{2+5+4}{13}=\dfrac{11}{13}$

⓰ $\dfrac{6}{12}+\dfrac{8}{12}+\dfrac{4}{12}=\dfrac{6+8+4}{12}=\dfrac{18}{12}=1\dfrac{6}{12}$

⓱ $1\dfrac{4}{16}+2\dfrac{3}{16}+\dfrac{2}{16}$
$$=(1+2)+\left(\dfrac{4}{16}+\dfrac{3}{16}+\dfrac{2}{16}\right)$$
$$=3+\dfrac{9}{16}=3\dfrac{9}{16}$$

⓲ $4\dfrac{8}{21}+\dfrac{5}{21}+2\dfrac{3}{21}$
$$=(4+2)+\left(\dfrac{8}{21}+\dfrac{5}{21}+\dfrac{3}{21}\right)$$
$$=6+\dfrac{16}{21}=6\dfrac{16}{21}$$

⑲ $5\frac{9}{14}+3\frac{7}{14}+\frac{10}{14}$

$=(5+3)+\left(\frac{9}{14}+\frac{7}{14}+\frac{10}{14}\right)$

$=8+\frac{26}{14}=8+1\frac{12}{14}=9\frac{12}{14}$

⑳ $\frac{13}{25}+2\frac{8}{25}+3\frac{12}{25}$

$=(2+3)+\left(\frac{13}{25}+\frac{8}{25}+\frac{12}{25}\right)$

$=5+\frac{33}{25}=5+1\frac{8}{25}=6\frac{8}{25}$

40~45쪽 특강 창의·융합·코딩

융합**1** $1\frac{3}{6}$, $2\frac{5}{6}$; $2\frac{5}{6}$

창의**2** 7, 6, $6\frac{8}{24}$; ②, ③

융합**3** (1) $1\frac{5}{10}$ (2) $2\frac{7}{10}$

창의**4** $1\frac{9}{15}$, $1\frac{6}{15}$ 창의**5** $4\frac{5}{11}$

창의**6** ③   코딩**7** $5\frac{6}{13}$, $10\frac{1}{13}$

창의**2** ①+②$=3\frac{16}{24}+3\frac{8}{24}$

$=(3+3)+\left(\frac{16}{24}+\frac{8}{24}\right)$

$=6+\frac{24}{24}=6+1=7$,

②+③$=3\frac{8}{24}+2\frac{16}{24}$

$=(3+2)+\left(\frac{8}{24}+\frac{16}{24}\right)$

$=5+\frac{24}{24}=5+1=6$,

①+③$=3\frac{16}{24}+2\frac{16}{24}$

$=(3+2)+\left(\frac{16}{24}+\frac{16}{24}\right)=5+\frac{32}{24}$

$=5+1\frac{8}{24}=6\frac{8}{24}$

융합**3** (1) (낙화암~부소산성 입구)

$\quad$ +(부소산성 입구~정림사지 오층석탑)

$=\frac{4}{10}+1\frac{1}{10}=1+\left(\frac{4}{10}+\frac{1}{10}\right)$

$=1+\frac{5}{10}=1\frac{5}{10}$ (km)

(2) (부소산성 입구~정림사지 오층석탑)

$\quad$ +(정림사지 오층석탑~궁남지)

$=1\frac{1}{10}+1\frac{6}{10}=(1+1)+\left(\frac{1}{10}+\frac{6}{10}\right)$

$=2+\frac{7}{10}=2\frac{7}{10}$ (km)

창의**4** 동주: $1\frac{4}{15}+\frac{5}{15}=1+\left(\frac{4}{15}+\frac{5}{15}\right)$

$=1+\frac{9}{15}=1\frac{9}{15}$ (m)

수아: $1\frac{1}{15}+\frac{5}{15}=1+\left(\frac{1}{15}+\frac{5}{15}\right)$

$=1+\frac{6}{15}=1\frac{6}{15}$ (m)

창의**6**

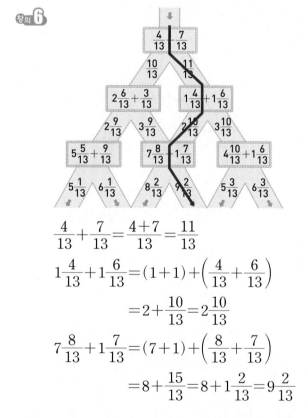

$\frac{4}{13}+\frac{7}{13}=\frac{4+7}{13}=\frac{11}{13}$

$1\frac{4}{13}+1\frac{6}{13}=(1+1)+\left(\frac{4}{13}+\frac{6}{13}\right)$

$=2+\frac{10}{13}=2\frac{10}{13}$

$7\frac{8}{13}+1\frac{7}{13}=(7+1)+\left(\frac{8}{13}+\frac{7}{13}\right)$

$=8+\frac{15}{13}=8+1\frac{2}{13}=9\frac{2}{13}$

코딩**7** 주운 두 카드에 적힌 수는 $4\frac{8}{13}$, $5\frac{6}{13}$입니다.

$4\frac{8}{13}+5\frac{6}{13}=(4+5)+\left(\frac{8}{13}+\frac{6}{13}\right)=9+\frac{14}{13}$

$=9+1\frac{1}{13}=10\frac{1}{13}$

분수의 뺄셈

2주에 배울 내용을 알아볼까요? ②

1-1 $\dfrac{4}{5}$ **1-2** $\dfrac{9}{10}$

1-3 $1\dfrac{1}{8}$ **1-4** $1\dfrac{5}{12}$

2-1 $3\dfrac{4}{5}$ **2-2** $6\dfrac{7}{8}$

2-3 $8\dfrac{1}{11}$ **2-4** $4\dfrac{2}{13}$

똑똑한 계산 연습

① $3, \dfrac{4}{8}$ ② $2, \dfrac{3}{7}$ ③ $2, \dfrac{2}{5}$

④ $1, \dfrac{4}{9}$ ⑤ $\dfrac{2}{4}$ ⑥ $\dfrac{2}{8}$

⑦ $\dfrac{1}{3}$ ⑧ $\dfrac{1}{6}$ ⑨ $\dfrac{3}{10}$

⑩ $\dfrac{2}{16}$ ⑪ $\dfrac{2}{15}$ ⑫ $\dfrac{8}{21}$

⑤ $\dfrac{3}{4}-\dfrac{1}{4}=\dfrac{3-1}{4}=\dfrac{2}{4}$

⑥ $\dfrac{5}{8}-\dfrac{3}{8}=\dfrac{5-3}{8}=\dfrac{2}{8}$

⑦ $\dfrac{2}{3}-\dfrac{1}{3}=\dfrac{2-1}{3}=\dfrac{1}{3}$

⑧ $\dfrac{5}{6}-\dfrac{4}{6}=\dfrac{5-4}{6}=\dfrac{1}{6}$

⑨ $\dfrac{5}{10}-\dfrac{2}{10}=\dfrac{5-2}{10}=\dfrac{3}{10}$

⑩ $\dfrac{10}{16}-\dfrac{8}{16}=\dfrac{10-8}{16}=\dfrac{2}{16}$

⑪ $\dfrac{7}{15}-\dfrac{5}{15}=\dfrac{7-5}{15}=\dfrac{2}{15}$

⑫ $\dfrac{14}{21}-\dfrac{6}{21}=\dfrac{14-6}{21}=\dfrac{8}{21}$

똑똑한 계산 연습

① $7, 6$ ② $9, 6$ ③ $3, 1$

④ $10, 5$ ⑤ $\dfrac{7}{8}$ ⑥ $\dfrac{4}{7}$

⑦ $\dfrac{3}{9}$ ⑧ $\dfrac{7}{10}$ ⑨ $\dfrac{8}{11}$

⑩ $\dfrac{4}{15}$ ⑪ $\dfrac{7}{13}$ ⑫ $\dfrac{4}{21}$

⑥ $1-\dfrac{3}{7}=\dfrac{7}{7}-\dfrac{3}{7}=\dfrac{7-3}{7}=\dfrac{4}{7}$

⑦ $1-\dfrac{6}{9}=\dfrac{9}{9}-\dfrac{6}{9}=\dfrac{9-6}{9}=\dfrac{3}{9}$

⑨ $1-\dfrac{3}{11}=\dfrac{11}{11}-\dfrac{3}{11}=\dfrac{11-3}{11}=\dfrac{8}{11}$

⑩ $1-\dfrac{11}{15}=\dfrac{15}{15}-\dfrac{11}{15}=\dfrac{15-11}{15}=\dfrac{4}{15}$

기초 집중 연습

1-1 $\dfrac{4}{6}$ **1-2** $\dfrac{3}{8}$

1-3 $\dfrac{5}{7}$ **1-4** $\dfrac{1}{9}$

2-1 $\dfrac{2}{13}$ **2-2** $\dfrac{7}{19}$

2-3 $\dfrac{6}{14}$ **2-4** $\dfrac{12}{16}$

3-1 $\dfrac{2}{6}$ **3-2** $\dfrac{2}{10}$

3-3 $\dfrac{2}{8}$ **3-4** $\dfrac{7}{9}$

4-1 $\dfrac{7}{15}$ **4-2** $\dfrac{5}{12}, \dfrac{5}{12}$

1-2 $\dfrac{7}{8}$ 에서 $\dfrac{4}{8}$ 만큼 되돌아오면 $\dfrac{3}{8}$ 입니다.

1-4 1은 $\dfrac{1}{9}$ 이 9개이므로 $1=\dfrac{9}{9}$ 입니다.

3-3 $1-\dfrac{6}{8}=\dfrac{8}{8}-\dfrac{6}{8}=\dfrac{2}{8}$

3-4 $1-\dfrac{2}{9}=\dfrac{9}{9}-\dfrac{2}{9}=\dfrac{7}{9}$

정답 및 풀이

4-1 (처음 식혜의 양)−(마신 식혜의 양)

$=\dfrac{13}{15}-\dfrac{6}{15}=\dfrac{13-6}{15}=\dfrac{7}{15}$ (L)

4-2 (처음 수정과의 양)−(마신 수정과의 양)

$=\dfrac{10}{12}-\dfrac{5}{12}=\dfrac{10-5}{12}=\dfrac{5}{12}$ (L)

⑨ $4\dfrac{10}{12}-1\dfrac{7}{12}=(4-1)+\left(\dfrac{10}{12}-\dfrac{7}{12}\right)$

$=3+\dfrac{3}{12}=3\dfrac{3}{12}$

⑩ $3\dfrac{8}{14}-1\dfrac{6}{14}=(3-1)+\left(\dfrac{8}{14}-\dfrac{6}{14}\right)$

$=2+\dfrac{2}{14}=2\dfrac{2}{14}$

57쪽 똑똑한 계산 연습

① 2, 2, 2 ② 11, 4, 7, 1
③ 1, 1, 1 ④ 35, 2, 33, 1
⑤ $2\dfrac{1}{7}$ ⑥ $3\dfrac{2}{6}$
⑦ $5\dfrac{1}{9}$ ⑧ $4\dfrac{2}{10}$
⑨ $9\dfrac{2}{13}$ ⑩ $4\dfrac{7}{21}$

⑥ $3\dfrac{4}{6}-\dfrac{2}{6}=3+\left(\dfrac{4}{6}-\dfrac{2}{6}\right)=3+\dfrac{2}{6}=3\dfrac{2}{6}$

⑨ $9\dfrac{5}{13}-\dfrac{3}{13}=9+\left(\dfrac{5}{13}-\dfrac{3}{13}\right)=9+\dfrac{2}{13}=9\dfrac{2}{13}$

⑩ $4\dfrac{15}{21}-\dfrac{8}{21}=4+\left(\dfrac{15}{21}-\dfrac{8}{21}\right)=4+\dfrac{7}{21}=4\dfrac{7}{21}$

59쪽 똑똑한 계산 연습

① 2, 1, 1, 1 ② 39, 21, 18, 2, 2
③ 3, 1, 2, 2 ④ 22, 12, 10, 1, 1
⑤ $1\dfrac{3}{10}$ ⑥ $1\dfrac{4}{6}$
⑦ $3\dfrac{2}{8}$ ⑧ $3\dfrac{3}{9}$
⑨ $3\dfrac{3}{12}$ ⑩ $2\dfrac{2}{14}$

⑥ $5\dfrac{5}{6}-4\dfrac{1}{6}=(5-4)+\left(\dfrac{5}{6}-\dfrac{1}{6}\right)=1+\dfrac{4}{6}=1\dfrac{4}{6}$

⑧ $6\dfrac{5}{9}-3\dfrac{2}{9}=(6-3)+\left(\dfrac{5}{9}-\dfrac{2}{9}\right)=3+\dfrac{3}{9}=3\dfrac{3}{9}$

60~61쪽 기초 집중 연습

1-1 $3\dfrac{3}{8}$ **1-2** $6\dfrac{5}{11}$
1-3 $3\dfrac{1}{12}$ **1-4** $4\dfrac{3}{16}$
2-1 $8\dfrac{2}{6}$ **2-2** $6\dfrac{2}{7}$
2-3 $5\dfrac{8}{15}$ **2-4** $3\dfrac{8}{16}$
3-1 $2\dfrac{2}{4}$ **3-2** $3\dfrac{3}{8}$
3-3 $3\dfrac{4}{5}$, $2\dfrac{2}{5}$, $1\dfrac{2}{5}$ **3-4** $4\dfrac{5}{6}$, $2\dfrac{2}{6}$, $2\dfrac{3}{6}$
4-1 $2\dfrac{3}{9}$, $3\dfrac{4}{9}$ **4-2** $2\dfrac{1}{5}$, $5\dfrac{3}{5}$

2-3 $9\dfrac{12}{15}-4\dfrac{4}{15}=(9-4)+\left(\dfrac{12}{15}-\dfrac{4}{15}\right)$

$=5+\dfrac{8}{15}=5\dfrac{8}{15}$

3-3 (학교~공원)−(학교~집)

$=3\dfrac{4}{5}-2\dfrac{2}{5}=(3-2)+\left(\dfrac{4}{5}-\dfrac{2}{5}\right)$

$=1+\dfrac{2}{5}=1\dfrac{2}{5}$ (km)

3-4 (학교~공원)−(학교~집)

$=4\dfrac{5}{6}-2\dfrac{2}{6}=(4-2)+\left(\dfrac{5}{6}-\dfrac{2}{6}\right)$

$=2+\dfrac{3}{6}=2\dfrac{3}{6}$ (km)

4-1 (처음 사과의 무게)−(이웃집에 준 사과의 무게)

$=5\dfrac{7}{9}-2\dfrac{3}{9}=(5-2)+\left(\dfrac{7}{9}-\dfrac{3}{9}\right)=3\dfrac{4}{9}$ (kg)

4-2 (처음 키위의 무게) − (이웃집에 준 키위의 무게)
4-2 (처음 키위의 무게) − (이웃집에 준 키위의 무게)

$$=7\frac{4}{5}-2\frac{1}{5}=(7-2)+\left(\frac{4}{5}-\frac{1}{5}\right)=5\frac{3}{5}\,(\text{kg})$$

63쪽
63쪽	**똑똑한 계산 연습**

① 4, 3, 2, 1 ② 12, 7, 1, 1

③ 7, 3, 3, 4 ④ 24, 17, 2, 1

⑤ $5\frac{3}{7}$ ⑥ $7\frac{1}{9}$

⑦ $2\frac{3}{8}$ ⑧ $6\frac{1}{10}$

⑨ $8\frac{6}{11}$ ⑩ $14\frac{8}{14}$

⑧ $7-\frac{9}{10}=6\frac{10}{10}-\frac{9}{10}=6\frac{1}{10}$

⑨ $9-\frac{5}{11}=8\frac{11}{11}-\frac{5}{11}=8\frac{6}{11}$

⑩ $15-\frac{6}{14}=14\frac{14}{14}-\frac{6}{14}=14\frac{8}{14}$

65쪽
65쪽	**똑똑한 계산 연습**

① 9, 9, 1, 5, 1, 5 ② 12, 7, 5, 1, 2

③ $1\frac{4}{6}$ ④ $3\frac{3}{8}$

⑤ $6\frac{5}{9}$ ⑥ $2\frac{4}{12}$

⑦ $2\frac{4}{7}$ ⑧ $5\frac{3}{10}$

⑨ $2\frac{7}{9}$ ⑩ $3\frac{3}{11}$

④ $5-1\frac{5}{8}=4\frac{8}{8}-1\frac{5}{8}=3\frac{3}{8}$

⑤ $8-1\frac{4}{9}=7\frac{9}{9}-1\frac{4}{9}=6\frac{5}{9}$

⑥ $7-4\frac{8}{12}=6\frac{12}{12}-4\frac{8}{12}=2\frac{4}{12}$

⑦ $5-2\frac{3}{7}=4\frac{7}{7}-2\frac{3}{7}=2\frac{4}{7}$

⑧ $9-3\frac{7}{10}=8\frac{10}{10}-3\frac{7}{10}=5\frac{3}{10}$

⑨ $4-1\frac{2}{9}=3\frac{9}{9}-1\frac{2}{9}=2\frac{7}{9}$

⑩ $6-2\frac{8}{11}=5\frac{11}{11}-2\frac{8}{11}=3\frac{3}{11}$

66~67쪽
66~67쪽	**기초 집중 연습**

1-1 $4\frac{5}{9}$ **1**-2 $5\frac{1}{8}$

1-3 $4\frac{1}{7}$ **1**-4 $6\frac{5}{9}$

2-1 $3\frac{7}{8}$ **2**-2 $1\frac{5}{6}$

2-3 $2\frac{9}{11}$ **2**-4 $4\frac{2}{5}$

3-1 $3\frac{1}{9}$ **3**-2 $5\frac{1}{5}$

3-3 7, $4\frac{2}{7}$, $2\frac{5}{7}$ **3**-4 5, $3\frac{4}{15}$, $1\frac{11}{15}$

4-1 $\frac{5}{12}$, $1\frac{7}{12}$ **4**-2 $3\frac{5}{6}$, $1\frac{1}{6}$

2-1 $7-3\frac{1}{8}=6\frac{8}{8}-3\frac{1}{8}=3\frac{7}{8}\,(\text{m})$

2-2 $4-2\frac{1}{6}=3\frac{6}{6}-2\frac{1}{6}=1\frac{5}{6}\,(\text{m})$

2-3 $5-2\frac{2}{11}=4\frac{11}{11}-2\frac{2}{11}=2\frac{9}{11}\,(\text{m})$

3-3 (집~학교) − (학교~병원)

$$=7-4\frac{2}{7}=6\frac{7}{7}-4\frac{2}{7}=2\frac{5}{7}\,(\text{km})$$

4-1 (처음 우유의 양) − (마신 우유의 양)

$$=2-\frac{5}{12}=1\frac{12}{12}-\frac{5}{12}=1\frac{7}{12}\,(\text{L})$$

4-2 (사 온 포도의 양) − (먹은 포도의 양)

$$=5-3\frac{5}{6}=4\frac{6}{6}-3\frac{5}{6}=1\frac{1}{6}\,(\text{kg})$$

정답 풀이

69쪽 · 똑똑한 계산 연습

① 12, 12, 8, 6, 8, 6 ② 36, 5, 31, 3, 7

③ $4\frac{3}{4}$ ④ $3\frac{5}{6}$

⑤ $7\frac{3}{5}$ ⑥ $2\frac{7}{10}$

⑦ $6\frac{6}{9}$ ⑧ $4\frac{8}{12}$

⑨ $7\frac{11}{13}$ ⑩ $3\frac{10}{16}$

⑧ $5\frac{6}{12}-\frac{10}{12}=4\frac{18}{12}-\frac{10}{12}=4+\left(\frac{18}{12}-\frac{10}{12}\right)$
$=4+\frac{8}{12}=4\frac{8}{12}$

⑨ $8\frac{4}{13}-\frac{6}{13}=7\frac{17}{13}-\frac{6}{13}=7+\left(\frac{17}{13}-\frac{6}{13}\right)$
$=7+\frac{11}{13}=7\frac{11}{13}$

⑩ $4\frac{7}{16}-\frac{13}{16}=3\frac{23}{16}-\frac{13}{16}=3+\left(\frac{23}{16}-\frac{13}{16}\right)$
$=3+\frac{10}{16}=3\frac{10}{16}$

71쪽 · 똑똑한 계산 연습

① 11, 11, 1, 6, 1, 6 ② 25, 17, 8, 1, 2

③ $2\frac{5}{7}$ ④ $2\frac{3}{8}$

⑤ $1\frac{2}{9}$ ⑥ $2\frac{4}{5}$

⑦ $4\frac{5}{10}$ ⑧ $1\frac{10}{13}$

⑨ $1\frac{12}{15}$ ⑩ $1\frac{18}{20}$

⑦ $6\frac{4}{10}-1\frac{9}{10}=5\frac{14}{10}-1\frac{9}{10}=4\frac{5}{10}$

⑧ $8\frac{1}{13}-6\frac{4}{13}=7\frac{14}{13}-6\frac{4}{13}=1\frac{10}{13}$

⑨ $5\frac{9}{15}-3\frac{12}{15}=4\frac{24}{15}-3\frac{12}{15}=1\frac{12}{15}$

72~73쪽 · 기초 집중 연습

1-1 $1\frac{5}{9}$ 1-2 $2\frac{3}{6}$

1-3 $2\frac{12}{13}$ 1-4 $2\frac{7}{12}$

2-1 $3\frac{3}{6}$ 2-2 $5\frac{6}{8}$

2-3 $1\frac{11}{15}$ 2-4 $2\frac{8}{11}$

3-1 $4\frac{4}{5}$ 3-2 $4\frac{7}{8}$

3-3 $6\frac{5}{7}$, $3\frac{6}{7}$, $2\frac{6}{7}$ 3-4 $2\frac{1}{3}$, $\frac{2}{3}$, $1\frac{2}{3}$

4-1 $\frac{8}{10}$, $6\frac{6}{10}$ 4-2 $2\frac{13}{16}$, $1\frac{10}{16}$

1-3 $4\frac{9}{13}-1\frac{10}{13}=3\frac{22}{13}-1\frac{10}{13}=2\frac{12}{13}$

1-4 $5\frac{4}{12}-2\frac{9}{12}=4\frac{16}{12}-2\frac{9}{12}=2\frac{7}{12}$

2-1 $4\frac{2}{6}-\frac{5}{6}=3\frac{8}{6}-\frac{5}{6}=3\frac{3}{6}$

2-2 $6\frac{1}{8}-\frac{3}{8}=5\frac{9}{8}-\frac{3}{8}=5\frac{6}{8}$

2-3 $7\frac{3}{15}-5\frac{7}{15}=6\frac{18}{15}-5\frac{7}{15}=1\frac{11}{15}$

2-4 $4\frac{7}{11}-1\frac{10}{11}=3\frac{18}{11}-1\frac{10}{11}=2\frac{8}{11}$

3-1 $5\frac{3}{5}-\frac{4}{5}=4\frac{8}{5}-\frac{4}{5}=4\frac{4}{5}$ (kg)

3-2 $6\frac{5}{8}-1\frac{6}{8}=5\frac{13}{8}-1\frac{6}{8}=4\frac{7}{8}$ (kg)

3-3 $6\frac{5}{7}-3\frac{6}{7}=5\frac{12}{7}-3\frac{6}{7}=2\frac{6}{7}$ (kg)

3-4 $2\frac{1}{3}-\frac{2}{3}=1\frac{4}{3}-\frac{2}{3}=1\frac{2}{3}$ (kg)

4-1 $7\frac{4}{10}-\frac{8}{10}=6\frac{14}{10}-\frac{8}{10}=6\frac{6}{10}$

4-2 $4\frac{7}{16}-2\frac{13}{16}=3\frac{23}{16}-2\frac{13}{16}=1\frac{10}{16}$

① 9, 3, 6, 2

② 67, 11, 22, 34, 3, 4

③ $4\frac{1}{5}$

④ $1\frac{3}{11}$

⑤ $4\frac{3}{9}$

⑥ $2\frac{2}{6}$

⑦ $1\frac{10}{12}$

⑧ $2\frac{10}{14}$

⑨ 5

⑩ $3\frac{6}{9}$

⑧ $6\frac{8}{14}-2\frac{5}{14}-1\frac{7}{14}=4\frac{3}{14}-1\frac{7}{14}$

$=3\frac{17}{14}-1\frac{7}{14}=2\frac{10}{14}$

⑨ $12\frac{1}{7}-4\frac{3}{7}-2\frac{5}{7}=\left(11\frac{8}{7}-4\frac{3}{7}\right)-2\frac{5}{7}$

$=7\frac{5}{7}-2\frac{5}{7}=5$

① 1, 2, 1, 10

② 47, 14, 12, 61, 12, 49, 5, 4

③ $2\frac{3}{5}$

④ $4\frac{11}{12}$

⑤ $6\frac{9}{10}$

⑥ $2\frac{3}{9}$

⑦ $7\frac{2}{5}$

⑧ $6\frac{2}{8}$

⑨ 9

⑩ $6\frac{5}{8}$

④ $2\frac{9}{12}+2\frac{5}{12}-\frac{3}{12}=4\frac{14}{12}-\frac{3}{12}=4\frac{11}{12}$

⑨ $6\frac{3}{7}-1\frac{5}{7}+4\frac{2}{7}=\left(5\frac{10}{7}-1\frac{5}{7}\right)+4\frac{2}{7}$

$=4\frac{5}{7}+4\frac{2}{7}=8\frac{7}{7}=9$

⑩ $5\frac{7}{8}+3\frac{5}{8}-2\frac{7}{8}=8\frac{12}{8}-2\frac{7}{8}=6\frac{5}{8}$

1-1 $2\frac{2}{7}$

1-2 $3\frac{1}{6}$

1-3 $1\frac{3}{5}$

1-4 $1\frac{4}{8}$

2-1 $6\frac{1}{7}$

2-2 $3\frac{7}{11}$

2-3 $7\frac{7}{15}$

2-4 $4\frac{1}{8}$

3-1 $3\frac{1}{7}$

3-2 $1\frac{1}{8}$

3-3 $8\frac{5}{9}$, $1\frac{3}{9}$, $\frac{2}{9}$, 7

3-4 $9\frac{1}{5}$, $2\frac{2}{5}$, $3\frac{1}{5}$, $3\frac{3}{5}$

4-1 $1\frac{6}{9}$

4-2 $2\frac{7}{8}$

1-1 $4\frac{6}{7}-1\frac{2}{7}-1\frac{2}{7}=3\frac{4}{7}-1\frac{2}{7}=2\frac{2}{7}$

1-2 $7\frac{5}{6}-2\frac{1}{6}-2\frac{3}{6}=5\frac{4}{6}-2\frac{3}{6}=3\frac{1}{6}$

1-3 $3\frac{3}{5}-1\frac{1}{5}-\frac{4}{5}=2\frac{2}{5}-\frac{4}{5}=1\frac{7}{5}-\frac{4}{5}=1\frac{3}{5}$

2-1 $7\frac{6}{7}-2\frac{1}{7}+\frac{3}{7}=5\frac{5}{7}+\frac{3}{7}=5\frac{8}{7}=6\frac{1}{7}$

2-2 $6\frac{8}{11}-4\frac{3}{11}+1\frac{2}{11}=2\frac{5}{11}+1\frac{2}{11}=3\frac{7}{11}$

2-3 $4\frac{8}{15}+3\frac{1}{15}-\frac{2}{15}=7\frac{9}{15}-\frac{2}{15}=7\frac{7}{15}$

2-4 $5\frac{2}{8}+\frac{5}{8}-1\frac{6}{8}=5\frac{7}{8}-1\frac{6}{8}=4\frac{1}{8}$

3-1 $4\frac{6}{7}-1\frac{3}{7}-\frac{2}{7}=3\frac{3}{7}-\frac{2}{7}=3\frac{1}{7}$ (L)

3-2 $3\frac{5}{8}-1\frac{1}{8}-1\frac{3}{8}=2\frac{4}{8}-1\frac{3}{8}=1\frac{1}{8}$ (L)

3-3 $8\frac{5}{9}-1\frac{3}{9}-\frac{2}{9}=7\frac{2}{9}-\frac{2}{9}=7$ (L)

3-4 $9\frac{1}{5}-2\frac{2}{5}-3\frac{1}{5}=\left(8\frac{6}{5}-2\frac{2}{5}\right)-3\frac{1}{5}$

$=6\frac{4}{5}-3\frac{1}{5}=3\frac{3}{5}$ (L)

4-1 $3\dfrac{7}{9}+\dfrac{3}{9}-2\dfrac{4}{9}=3\dfrac{10}{9}-2\dfrac{4}{9}=1\dfrac{6}{9}$ (kg)

4-2 $6\dfrac{4}{8}+2\dfrac{2}{8}-5\dfrac{7}{8}=8\dfrac{6}{8}-5\dfrac{7}{8}$

$\qquad\qquad\qquad\quad=7\dfrac{14}{8}-5\dfrac{7}{8}=2\dfrac{7}{8}$ (kg)

80~81쪽 **누구나 100점 맞는 TEST**

① $\dfrac{4}{7}$ ② $\dfrac{1}{8}$ ③ $\dfrac{8}{13}$

④ $\dfrac{8}{21}$ ⑤ $5\dfrac{2}{9}$ ⑥ $8\dfrac{3}{15}$

⑦ $3\dfrac{9}{14}$ ⑧ $2\dfrac{2}{5}$ ⑨ $4\dfrac{6}{14}$

⑩ $6\dfrac{1}{11}$ ⑪ $3\dfrac{4}{7}$ ⑫ $1\dfrac{1}{6}$

⑬ $5\dfrac{6}{7}$ ⑭ $8\dfrac{9}{14}$ ⑮ $6\dfrac{8}{13}$

⑯ $1\dfrac{7}{9}$ ⑰ $\dfrac{4}{8}$ ⑱ $2\dfrac{3}{10}$

⑲ 6 ⑳ $1\dfrac{6}{12}$

---

⑪ $5-1\dfrac{3}{7}=4\dfrac{7}{7}-1\dfrac{3}{7}=3\dfrac{4}{7}$

⑫ $6-4\dfrac{5}{6}=5\dfrac{6}{6}-4\dfrac{5}{6}=1\dfrac{1}{6}$

⑬ $6\dfrac{2}{7}-\dfrac{3}{7}=5\dfrac{9}{7}-\dfrac{3}{7}=5\dfrac{6}{7}$

⑮ $8\dfrac{1}{13}-1\dfrac{6}{13}=7\dfrac{14}{13}-1\dfrac{6}{13}=6\dfrac{8}{13}$

⑯ $4\dfrac{6}{9}-2\dfrac{8}{9}=3\dfrac{15}{9}-2\dfrac{8}{9}=1\dfrac{7}{9}$

⑱ $6\dfrac{2}{10}-3\dfrac{5}{10}-\dfrac{4}{10}=\left(5\dfrac{12}{10}-3\dfrac{5}{10}\right)-\dfrac{4}{10}$

$\qquad\qquad\qquad\quad=2\dfrac{7}{10}-\dfrac{4}{10}=2\dfrac{3}{10}$

⑲ $8\dfrac{1}{5}-3\dfrac{3}{5}+1\dfrac{2}{5}=\left(7\dfrac{6}{5}-3\dfrac{3}{5}\right)+1\dfrac{2}{5}$

$\qquad\qquad\qquad\quad=4\dfrac{3}{5}+1\dfrac{2}{5}=5\dfrac{5}{5}=6$

⑳ $3\dfrac{7}{12}+\dfrac{4}{12}-2\dfrac{5}{12}=3\dfrac{11}{12}-2\dfrac{5}{12}=1\dfrac{6}{12}$

82~87쪽 **특강** **창의·융합·코딩**

융합**1** $17\dfrac{9}{10}$, $10\dfrac{5}{10}$, $7\dfrac{4}{10}$; $7\dfrac{4}{10}$

창의**2** $2\dfrac{3}{10}$, $4\dfrac{9}{10}$, $2\dfrac{7}{10}$; $2\dfrac{7}{10}$

창의**3** $6\dfrac{1}{14}$ 융합**4** 사, 필, 귀, 정

창의**5** 책가방   융합**6** (1) $2\dfrac{14}{50}$ (2) $1\dfrac{13}{50}$

창의**7** $\dfrac{11}{13}$ 융합**8** (1) $9\dfrac{4}{10}$ (2) $21\dfrac{9}{10}$

융합**4** ① $3\dfrac{5}{8}-1\dfrac{7}{8}=2\dfrac{13}{8}-1\dfrac{7}{8}=1\dfrac{6}{8}$

② $\dfrac{9}{13}-\dfrac{5}{13}=\dfrac{4}{13}$

③ $5\dfrac{4}{9}-\dfrac{3}{9}=5\dfrac{1}{9}$

④ $3-\dfrac{5}{6}=2\dfrac{6}{6}-\dfrac{5}{6}=2\dfrac{1}{6}$

창의**5**

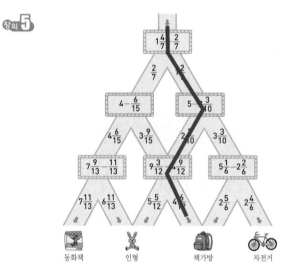

창의**7** 윗접시저울이 어느 쪽으로도 기울지 않았으므로 양쪽의 무게가 서로 같습니다.

$3\dfrac{8}{13}-2\dfrac{6}{13}-\dfrac{4}{13}=1\dfrac{2}{13}-\dfrac{4}{13}$

$\qquad\qquad\qquad\qquad=\dfrac{15}{13}-\dfrac{4}{13}=\dfrac{11}{13}$ (g)

융합**8** (1) (첨성대~불국사)－(첨성대~포석정지)

$\qquad=12\dfrac{5}{10}-3\dfrac{1}{10}=9\dfrac{4}{10}$ (km)

(2) (첨성대~문무대왕릉)－(첨성대~불국사)

$\qquad=34\dfrac{4}{10}-12\dfrac{5}{10}=33\dfrac{14}{10}-12\dfrac{5}{10}$

$\qquad=21\dfrac{9}{10}$ (km)

3주 · 소수의 덧셈과 뺄셈 (1)

3주에 배울 내용을 알아볼까요? ②

1-1 0.7   **1**-2 1.4
2-1 0.9   **2**-2 0.4
2-3 1.5   **2**-4 2.1
3-1 1.2   **3**-2 4.6
3-3 3.8   **3**-4 2.8

1-1 0.1이 7개이므로 0.7입니다.

1-2 1과 0.4만큼이므로 1.4입니다.

2-1 0.1이 9개이면 0.9입니다.

2-2 0.1이 4개이면 0.4입니다.

2-3 0.1이 15개이면 1.5입니다.

2-4 0.1이 21개이면 2.1입니다.

3-1 0.4 < 1.2
$\quad$└ 0 < 1 ┘

3-2 2.4 < 4.6
$\quad$└ 2 < 4 ┘

3-3 3.8 > 3.4
$\quad$└ 8 > 4 ┘

3-4 2.8 > 2.7
$\quad$└ 8 > 7 ┘

93쪽 **똑똑한 계산 연습**

① 5, 3, 2   ② 4, 3, 6
③ 7, 6, 2   ④ 8, 3, 7
⑤ 0.03   ⑥ 0.05
⑦ 0.32   ⑧ 0.63
⑨ 1.54   ⑩ 2.43

① 5.32
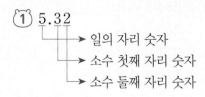
→ 일의 자리 숫자
→ 소수 첫째 자리 숫자
→ 소수 둘째 자리 숫자

② 4.36

→ 일의 자리 숫자
→ 소수 첫째 자리 숫자
→ 소수 둘째 자리 숫자

③ 7.62
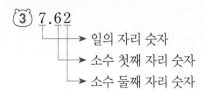
→ 일의 자리 숫자
→ 소수 첫째 자리 숫자
→ 소수 둘째 자리 숫자

④ 8.37

→ 일의 자리 숫자
→ 소수 첫째 자리 숫자
→ 소수 둘째 자리 숫자

⑤ 0.01이 3개이면 0.03입니다.

⑥ 0.01이 5개이면 0.05입니다.

⑦ 0.01이 32개이면 0.32입니다.

⑧ 0.01이 63개이면 0.63입니다.

⑨ 0.01이 154개이면 1.54입니다.

⑩ 0.01이 243개이면 2.43입니다.

95쪽 **똑똑한 계산 연습**

① 2, 3, 2, 7   ② 6, 1, 5, 3
③ 9, 3, 6, 2   ④ 4, 2, 4, 9
⑤ 2   ⑥ 0.008
⑦ 0.025   ⑧ 7.461
⑨ 41   ⑩ 2368

① 2.327
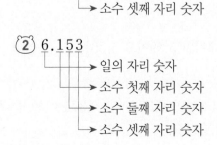
→ 일의 자리 숫자
→ 소수 첫째 자리 숫자
→ 소수 둘째 자리 숫자
→ 소수 셋째 자리 숫자

② 6.153
→ 일의 자리 숫자
→ 소수 첫째 자리 숫자
→ 소수 둘째 자리 숫자
→ 소수 셋째 자리 숫자

③ 9.362
→ 일의 자리 숫자
→ 소수 첫째 자리 숫자
→ 소수 둘째 자리 숫자
→ 소수 셋째 자리 숫자

④ 4.249
→ 일의 자리 숫자
→ 소수 첫째 자리 숫자
→ 소수 둘째 자리 숫자
→ 소수 셋째 자리 숫자

⑤ 0.002는 0.001이 2개인 수입니다.

⑥ 0.001이 8개이면 0.008입니다.

⑦ 0.001이 25개이면 0.025입니다.

⑧ 0.001이 7461개이면 7.461입니다.

⑨ 0.041은 0.001이 41개인 수입니다.

⑩ 2.368은 0.001이 2368개인 수입니다.

96~97쪽	기초 집중 연습

1-1 0.21, 영 점 이일
1-2 5.39, 오 점 삼구
1-3 0.374, 영 점 삼칠사
1-4 7.458, 칠 점 사오팔

2-1 0.4	**2-2** 0.04
2-3 0.005	**2-4** 0.5
3-1 일 점 구오	**3-2** 이 점 영육
3-3 삼 점 일이	
4-1 3.57	**4-2** 7.49
4-3 4.692	**4-4** 2.387

1-1 0.01이 21개이면 0.21이고 0.21은 영 점 이일이라고 읽습니다.

1-2 0.01이 539개이면 5.39이고 5.39는 오 점 삼구라고 읽습니다.

1-3 0.001이 374개이면 0.374이고 0.374는 영 점 삼칠사라고 읽습니다.

1-4 0.001이 7458개이면 7.458이고 7.458은 칠 점 사오팔이라고 읽습니다.

2-1 5.47
→ 소수 첫째 자리 숫자, 0.4

2-2 6.24
→ 소수 둘째 자리 숫자, 0.04

2-3 3.125
→ 소수 셋째 자리 숫자, 0.005

2-4 8.516
→ 소수 첫째 자리 숫자, 0.5

3-1 전자저울에 나타난 소수 1.95는 일 점 구오라고 읽습니다.

3-2 전자저울에 나타난 소수 2.06은 이 점 영육이라고 읽습니다.

3-3 전자저울에 나타난 소수 3.12는 삼 점 일이라고 읽습니다.

4-1 1이 3개, 0.1이 5개, 0.01이 7개인 수는 3.57입니다.

4-3 1이 4개, 0.1이 6개, 0.01이 9개, 0.001이 2개인 수는 4.692입니다.

99쪽	똑똑한 계산 연습

① <	② >	③ <
④ <	⑤ >	⑥ >

⑦ 1.38에 ○표, 0.4에 △표
⑧ 6.3에 ○표, 5.42에 △표
⑨ 3.842에 ○표, 2.654에 △표
⑩ 8.324에 ○표, 5.265에 △표
⑪ 1.348에 ○표, 1.321에 △표
⑫ 3.644에 ○표, 3.542에 △표

① 0.47 < 1.5
└0 < 1┘

② 5.32 > 4.83
└5 > 4┘

③ 0.746 < 0.94
└7 < 9┘

④ 4.267 < 4.274
└6 < 7┘

⑦ 0.4<1.24<1.38

⑧ 5.42<5.47<6.3

⑨ 2.654<2.725<3.842

⑩ 5.265<5.297<8.324

⑪ 1.321<1.324<1.348

⑫ 3.542<3.624<3.644

2-3 10배 하면 소수점을 기준으로 수가 왼쪽으로 한 자리 이동하므로 30.54입니다.

2-4 $\frac{1}{10}$을 하면 소수점을 기준으로 수가 오른쪽으로 한 자리 이동하므로 3.4입니다.

2-5 $\frac{1}{10}$을 하면 소수점을 기준으로 수가 오른쪽으로 한 자리 이동하므로 0.745입니다.

2-6 $\frac{1}{100}$을 하면 소수점을 기준으로 수가 오른쪽으로 두 자리 이동하므로 0.027입니다.

3-1 1.305<1.31이므로 집에서 학교가 더 멉니다.

3-2 2.472>2.471이므로 집에서 도서관이 더 멉니다.

3-3 2.45>2.407이므로 집에서 소방서가 더 멉니다.

3-4 0.547<0.742이므로 집에서 은행이 더 멉니다.

4-1 5.417의 100배 ⇨ 541.7

4-2 3.25의 10배 ⇨ 32.5

4-3 23의 $\frac{1}{10}$ ⇨ 2.3

4-4 327의 $\frac{1}{100}$ ⇨ 3.27

101쪽	똑똑한 계산 연습

① 4.06, 40.6, 406
② 24.82, 248.2, 2482
③ 6.25, 625   ④ 53.1, 5.31, 0.531
⑤ 4.2, 0.42, 0.042   ⑥ 12.7, 0.127

① 소수를 10배 하면 소수점을 기준으로 수가 왼쪽으로 한 자리 이동합니다.

④ 소수의 $\frac{1}{10}$을 하면 소수점을 기준으로 수가 오른쪽으로 한 자리 이동합니다.

102~103쪽	기초 집중 연습

1-1 2.47	**1-2** 5.08
1-3 1.29	**1-4** 5.347
2-1 24.7	**2-2** 537.2
2-3 30.54	**2-4** 3.4
2-5 0.745	**2-6** 0.027
3-1 학교	**3-2** 도서관
3-3 소방서	**3-4** 은행
4-1 541.7	**4-2** 32.5
4-3 2.3	**4-4** 3.27

2-1 10배 하면 소수점을 기준으로 수가 왼쪽으로 한 자리 이동하므로 24.7입니다.

2-2 100배 하면 소수점을 기준으로 수가 왼쪽으로 두 자리 이동하므로 537.2입니다.

105쪽	똑똑한 계산 연습

① 1, 1 ; 1, 1, 1   ② 1, 7 ; 1, 1, 7
③ 1.3   ④ 1.3
⑤ 1.2   ⑥ 1.4
⑦ 1.5   ⑧ 1.2
⑨ 1.2   ⑩ 1.1
⑪ 1.6

107쪽	똑똑한 계산 연습

① 2.9   ② 5.8   ③ 8.8
④ 9.9   ⑤ 6.8   ⑥ 3.8
⑦ 6.4   ⑧ 9.2   ⑨ 5.1
⑩ 8.3   ⑪ 8.1   ⑫ 9.3

108~109쪽 · 기초 집중 연습

1-1 (위부터) 7, 8, 15, 1.5

1-2 (위부터) 18, 49, 67, 6.7

2-1 1.4   **2-2** 1.4

2-3 8.8   **2-4** 7.9

2-5 5.2   **2-6** 9.1

3-1 0.7   **3-2** 1.2

3-3 2.6   **3-4** 3.3

4-1 2.8, 6.5   **4-2** 3.7, 8.9

4-3 6.6, 2.7, 9.3   **4-4** 7.5, 1.9, 9.4

1-1 0.7+0.8은 0.1이 7+8=15(개)이므로 1.5입니다.

1-2 1.8+4.9는 0.1이 18+49=67(개)이므로 6.7입니다.

3-1 0.4+0.3=0.7 (L)

3-2 0.8+0.4=1.2 (L)

3-3 1.2+1.4=2.6 (L)

3-4 1.5+1.8=3.3 (L)

4-1 3.7+2.8=6.5

> **참고**
>
> 합은 덧셈식을 세우고 답을 구합니다.

4-2 5.2+3.7=8.9

4-3 6.6+2.7=9.3

4-4 7.5+1.9=9.4

111쪽 · 똑똑한 계산 연습

① 0.97   ② 0.46

③ 0.59   ④ 0.86

⑤ 0.65   ⑥ 0.82

⑦ 0.93   ⑧ 0.63

⑨ 0.95   ⑩ 1.01

⑪ 1.11   ⑫ 1.33

④
$$\begin{array}{r} \overset{1}{}0.08 \\ +\,0.78 \\ \hline 0.86 \end{array}$$

⑨
$$\begin{array}{r} \overset{1}{}0.48 \\ +\,0.47 \\ \hline 0.95 \end{array}$$

⑩
$$\begin{array}{r} \overset{1\,1}{}0.64 \\ +\,0.37 \\ \hline 1.01 \end{array}$$

⑫
$$\begin{array}{r} \overset{1\,1}{}0.54 \\ +\,0.79 \\ \hline 1.33 \end{array}$$

113쪽 · 똑똑한 계산 연습

① 9.59   ② 9.79

③ 6.98   ④ 4.71

⑤ 7.83   ⑥ 5.72

⑦ 4.23   ⑧ 6.01

⑨ 7.81   ⑩ 11.26

⑪ 12.18   ⑫ 13.24

④
$$\begin{array}{r} \overset{1}{}3.26 \\ +\,1.45 \\ \hline 4.71 \end{array}$$

⑥
$$\begin{array}{r} \overset{1}{}1.55 \\ +\,4.17 \\ \hline 5.72 \end{array}$$

⑦
$$\begin{array}{r} \overset{1\,1}{}1.75 \\ +\,2.48 \\ \hline 4.23 \end{array}$$

⑩
$$\begin{array}{r} \overset{1\,1}{}4.68 \\ +\,6.58 \\ \hline 11.26 \end{array}$$

⑪
$$\begin{array}{r} \overset{1}{}9.63 \\ +\,2.55 \\ \hline 12.18 \end{array}$$

⑫
$$\begin{array}{r} \overset{1\,1}{}7.45 \\ +\,5.79 \\ \hline 13.24 \end{array}$$

114~115쪽 · 기초 집중 연습

1-1 0.86   **1-2** 1.25

1-3 20.33   **1-4** 18.11

2-1 0.91   **2-2** 1.11

2-3 7.07   **2-4** 6.42

2-5 11.23   **2-6** 11.89

3-1 0.57   **3-2** 0.38

3-3 1.12   **3-4** 0.55

4-1 1.82, 4.95   **4-2** 1.64, 4.61

1-1
```
    1
  0. 4 7
+ 0. 3 9
─────────
  0. 8 6
```

1-2
```
  1 1
  0. 3 8
+ 0. 8 7
─────────
  1. 2 5
```

1-3
```
  1 1 1
  1 2. 8 9
+    7. 4 4
──────────
  2 0. 3 3
```

1-4
```
      1 1
    2. 4 6
+ 1 5. 6 5
──────────
  1 8. 1 1
```

3-1 $0.36+0.21=0.57\,(\text{m})$

3-2 $0.24+0.14=0.38\,(\text{m})$

3-3 $0.48+0.64=1.12\,(\text{m})$

3-4 $0.37+0.18=0.55\,(\text{m})$

4-1 (감자의 무게)＋(바구니의 무게)
　　＝$3.13+1.82=4.95\,(\text{kg})$

4-2 (양파의 무게)＋(바구니의 무게)
　　＝$2.97+1.64=4.61\,(\text{kg})$

① 0.77　　② 1.82
③ 6.93　　④ 1.54
⑤ 1.23　　⑥ 1.42
⑦ 3.21　　⑧ 4.27
⑨ 9.25　　⑩ 6.28
⑪ 8.33　　⑫ 8.04

④
```
    1
  0. 7 4
+ 0. 8
─────────
  1. 5 4
```

⑤
```
    1
  0. 6 3
+ 0. 6
─────────
  1. 2 3
```

⑥
```
    1
  0. 5 2
+ 0. 9
─────────
  1. 4 2
```

⑦
```
    1
  0. 5 1
+ 2. 7
─────────
  3. 2 1
```

⑨
```
    1
  8. 3 5
+ 0. 9
─────────
  9. 2 5
```

⑫
```
    1
  1. 2 4
+ 6. 8
─────────
  8. 0 4
```

① 0.59　　② 3.84
③ 7.88　　④ 1.11
⑤ 1.33　　⑥ 1.54
⑦ 5.42　　⑧ 6.27
⑨ 4.15　　⑩ 6.16
⑪ 5.18　　⑫ 9.23

⑥
```
    1
  0. 6
+ 0. 9 4
─────────
  1. 5 4
```

⑨
```
    1
  3. 9
+ 0. 2 5
─────────
  4. 1 5
```

⑪
```
    1
  2. 7
+ 2. 4 8
─────────
  5. 1 8
```

⑫
```
    1
  5. 3
+ 3. 9 3
─────────
  9. 2 3
```

1-1 1.24　　**1-2** 1.59
1-3 9.55　　**1-4** 7.27
2-1 1.76　　**2-2** 3.25
2-3 6.33　　**2-4** 4.69
2-5 7.02　　**2-6** 9.21
3-1 1.85　　**3-2** 3.39
3-3 4.19　　**3-4** 2.24
4-1 2.7, 7.06　　**4-2** 1.9, 3.24, 5.14

1-3
```
    1
  5. 7 5
+ 3. 8
─────────
  9. 5 5
```

1-4
```
    1
  2. 6
+ 4. 6 7
─────────
  7. 2 7
```

2-1
```
  1. 3 6
+ 0. 4
─────────
  1. 7 6
```

2-2
```
    1
  0. 7
+ 2. 5 5
─────────
  3. 2 5
```

2-3
```
    1
  4. 5 3
+ 1. 8
─────────
  6. 3 3
```

2-4
```
  1. 6
+ 3. 0 9
─────────
  4. 6 9
```

2-5
```
    1
  3. 9 2
+ 3. 1
─────────
  7. 0 2
```

2-6
```
    1
  2. 4
+ 6. 8 1
─────────
  9. 2 1
```

3-3 (과학관 ~ 미술관) + (미술관 ~ 박물관)
　　＝1.4＋2.79＝4.19 (km)

3-4 (미술관 ~ 과학관) + (과학관 ~ 놀이공원)
　　＝1.4＋0.84＝2.24 (km)

4-1 (빨간색 테이프의 길이) + (파란색 테이프의 길이)
　　＝4.36＋2.7＝7.06 (m)

4-2 (노란색 테이프의 길이) + (초록색 테이프의 길이)
　　＝1.9＋3.24＝5.14 (m)

122~123쪽　누구나 100점 맞는 TEST

❶ 2, 2 　　　❷ 5, 4
❸ 6, 8 　　　❹ 7, 6
❺ > 　　　　❻ >
❼ < 　　　　❽ <
❾ 63.8 　　　❿ 214.7
⓫ 0.9 　　　⓬ 9.9
⓭ 0.84 　　　⓮ 1.27
⓯ 7.52 　　　⓰ 11.88
⓱ 1.12 　　　⓲ 1.43
⓳ 18.43 　　　⓴ 10.39

---

❶ 2.92는 1이 2개, 0.1이 9개, 0.01이 2개입니다.

❷ 5.14는 1이 5개, 0.1이 1개, 0.01이 4개입니다.

❸ 6.285는 1이 6개, 0.1이 2개, 0.01이 8개, 0.001이 5개입니다.

❹ 3.746은 1이 3개, 0.1이 7개, 0.01이 4개, 0.001이 6개입니다.

❺ 일의 자리 수의 크기를 비교하면 3＞2이므로 3.06이 더 큽니다.

❻ 소수 둘째 자리 수의 크기를 비교하면 1＞0이므로 4.01이 더 큽니다.

❼ 소수 둘째 자리 수의 크기를 비교하면 6＜7이므로 8.371이 더 큽니다.

❽ 소수 셋째 자리 수의 크기를 비교하면 4＜8이므로 5.818이 더 큽니다.

⓯
```
    1
  5.0 7
+ 2.4 5
-------
  7.5 2
```

⓰
```
  8.3 1
+ 3.5 7
-------
1 1.8 8
```

⓱
```
    1
  0.6 2
+ 0.5
-------
  1.1 2
```

⓲
```
    1
  0.8 3
+ 0.6
-------
  1.4 3
```

⓳
```
     1
 1 2.0 4
+   6.3 9
---------
 1 8.4 3
```

⓴
```
    1
  7.8
+ 2.5 9
-------
1 0.3 9
```

124~129쪽 특강　창의·융합·코딩

융합❶ 3.9 ; 3.9
창의❷ ① 1.2　② 4.7　③ 3.05　④ 3.36 ; 2703
융합❸ 삼십육 점 구　　융합❹ 0.53
융합❺ 3.25　　창의❻ 5219
융합❼ 15.42　　창의❽ 리하네 집
코딩❾ (1) 55.4　(2) 10.38

융합❶ 0.39를 10배 하면 소수점을 기준으로 수가 왼쪽으로 한 자리 이동하므로 3.9입니다.

융합❹ 0.29＋0.24＝0.53 (L)

융합❺ 0.8＋2.45＝3.25 (kg)

창의❻ 천의 자리 숫자: 0.3<u>5</u>7, 백의 자리 숫자: <u>2</u>.75, 십의 자리 숫자: 3.64<u>1</u>, 일의 자리 숫자: 8.9<u>2</u>
⇨ 5219

융합❼ 9.58＋5.84＝15.42(초)

창의❽ 2.348＜2.492, 3.8＞3.65이므로 하윤이가 도착한 곳은 리하네 집입니다.

코딩❾ (1)

4주 · 소수의 덧셈과 뺄셈 (2)

132~133쪽 **4주에 배울 내용을 알아볼까요? ②**

1-1 3.1   **1-2** 6.2
1-3 1.67   **1-4** 9.42
2-1 2.64   **2-2** 6.32
2-3 4.29   **2-4** 8.23

1-1 소수점끼리 맞추어 세로로 쓰고 같은 자
리 수끼리 더합니다.

$$\begin{array}{r} 1 \\ 0.6 \\ +2.5 \\ \hline 3.1 \end{array}$$

2-1
$$\begin{array}{r} 1 \\ 1.9\,4 \\ +0.7 \\ \hline 2.6\,4 \end{array}$$

2-3
$$\begin{array}{r} 1 \\ 3.6 \\ +0.6\,9 \\ \hline 4.2\,9 \end{array}$$

135쪽 **똑똑한 계산 연습**

① 0.4   ② 0.5
③ 0.3   ④ 0.2   ⑤ 0.1
⑥ 0.1   ⑦ 0.6   ⑧ 0.4
⑨ 0.7   ⑩ 0.3   ⑪ 0.5

① 0.6−0.2는 0.1이 4칸만큼 차이나므로 0.4입
니다.

② 0.8−0.3은 0.1이 5칸만큼 차이나므로 0.5입
니다.

137쪽 **똑똑한 계산 연습**

① 1.4   ② 9.2   ③ 5.1
④ 4.5   ⑤ 2.5   ⑥ 1.4
⑦ 0.7   ⑧ 2.5   ⑨ 1.7
⑩ 3.8   ⑪ 5.8   ⑫ 3.6

⑦
$$\begin{array}{r} 0\ \ 10 \\ \not{1}.5 \\ -0.8 \\ \hline 0.7 \end{array}$$

⑧
$$\begin{array}{r} 3\ \ 10 \\ \not{4}.1 \\ -1.6 \\ \hline 2.5 \end{array}$$

⑨
$$\begin{array}{r} 5\ \ 10 \\ \not{6}.6 \\ -4.9 \\ \hline 1.7 \end{array}$$

⑩
$$\begin{array}{r} 4\ \ 10 \\ \not{5}.2 \\ -1.4 \\ \hline 3.8 \end{array}$$

⑪
$$\begin{array}{r} 5\ \ 10 \\ \not{6}.7 \\ -0.9 \\ \hline 5.8 \end{array}$$

⑫
$$\begin{array}{r} 8\ \ 10 \\ \not{9}.3 \\ -5.7 \\ \hline 3.6 \end{array}$$

138~139쪽 **기초 집중 연습**

1-1 7, 5, 2, 0.2   **1-2** 42, 13, 29, 2.9
2-1 0.4   **2-2** 0.6
2-3 3.1   **2-4** 4.4
2-5 2.4   **2-6** 3.9
3-1 3.5   **3-2** 3.4
3-3 8.7, 3.3, 5.4   **3-4** 9.3, 6.5, 2.8
4-1 3.5   **4-2** 6.1, 3.4, 2.7

1-1 0.7−0.5는 0.1이 7−5=2(개)이므로 0.2입
니다.

1-2 4.2−1.3은 0.1이 42−13=29(개)이므로 2.9
입니다.

2-1
$$\begin{array}{r} 0.5 \\ -0.1 \\ \hline 0.4 \end{array}$$

2-2
$$\begin{array}{r} 0.8 \\ -0.2 \\ \hline 0.6 \end{array}$$

2-3
$$\begin{array}{r} 3.7 \\ -0.6 \\ \hline 3.1 \end{array}$$

2-4
$$\begin{array}{r} 4\ \ 10 \\ \not{5}.2 \\ -0.8 \\ \hline 4.4 \end{array}$$

2-5
$$\begin{array}{r} 3\ \ 10 \\ \not{4}.3 \\ -1.9 \\ \hline 2.4 \end{array}$$

2-6
$$\begin{array}{r} 6\ \ 10 \\ \not{7}.4 \\ -3.5 \\ \hline 3.9 \end{array}$$

3-1 (전체 물감의 양)−(사용한 물감의 양)
=(남은 물감의 양)
⇨ 7.6−4.1=3.5 (g)

4-1 4.8＞1.3이므로 직사각형의 가로와 세로의 차는
4.8−1.3=3.5 (cm)입니다.

4-2 3.4＜6.1이므로 직사각형의 가로와 세로의 차는
6.1−3.4=2.7 (cm)입니다.

141쪽   똑똑한 계산 연습

① 0.06	② 0.61	③ 0.23
④ 0.13	⑤ 0.21	⑥ 0.51
⑦ 0.67	⑧ 0.54	⑨ 0.13
⑩ 0.09	⑪ 0.17	⑫ 0.69

⑦
$$\begin{array}{r} 6\ 10 \\ 0.\overset{\!}{7}2 \\ -\ 0.05 \\ \hline 0.67 \end{array}$$

⑧
$$\begin{array}{r} 5\ 10 \\ 0.\overset{\!}{6}1 \\ -\ 0.07 \\ \hline 0.54 \end{array}$$

⑨
$$\begin{array}{r} 2\ 10 \\ 0.\overset{\!}{3}2 \\ -\ 0.19 \\ \hline 0.13 \end{array}$$

⑩
$$\begin{array}{r} 3\ 10 \\ 0.\overset{\!}{4}5 \\ -\ 0.36 \\ \hline 0.09 \end{array}$$

⑪
$$\begin{array}{r} 7\ 10 \\ 0.\overset{\!}{8}1 \\ -\ 0.64 \\ \hline 0.17 \end{array}$$

⑫
$$\begin{array}{r} 8\ 10 \\ 0.\overset{\!}{9}6 \\ -\ 0.27 \\ \hline 0.69 \end{array}$$

143쪽   똑똑한 계산 연습

① 3.14	② 1.41	③ 3.26
④ 5.83	⑤ 2.24	⑥ 2.34
⑦ 3.45	⑧ 4.45	⑨ 4.07
⑩ 6.36	⑪ 2.68	⑫ 4.36

③
$$\begin{array}{r} 5.68 \\ -\ 2.42 \\ \hline 3.26 \end{array}$$

④
$$\begin{array}{r} 7\ 10 \\ 8.\overset{\!}{1}8 \\ -\ 2.35 \\ \hline 5.83 \end{array}$$

⑤
$$\begin{array}{r} 2\ 10 \\ \overset{\!}{3}.15 \\ -\ 0.91 \\ \hline 2.24 \end{array}$$

⑥
$$\begin{array}{r} 3\ 10 \\ \overset{\!}{4}.09 \\ -\ 1.75 \\ \hline 2.34 \end{array}$$

⑦
$$\begin{array}{r} 8\ 10 \\ 6.\overset{\!}{9}2 \\ -\ 3.47 \\ \hline 3.45 \end{array}$$

⑧
$$\begin{array}{r} 7\ 10 \\ 5.\overset{\!}{8}4 \\ -\ 1.39 \\ \hline 4.45 \end{array}$$

⑨
$$\begin{array}{r} 2\ 10 \\ 8.\overset{\!}{3}3 \\ -\ 4.26 \\ \hline 4.07 \end{array}$$

⑩
$$\begin{array}{r} 6\ 10\ 10 \\ 7.\overset{\!}{1}3 \\ -\ 0.77 \\ \hline 6.36 \end{array}$$

⑪
$$\begin{array}{r} 5\ 14\ 10 \\ 6.\overset{\!}{5}2 \\ -\ 3.84 \\ \hline 2.68 \end{array}$$

⑫
$$\begin{array}{r} 8\ 11\ 10 \\ 9.\overset{\!}{2}1 \\ -\ 4.85 \\ \hline 4.36 \end{array}$$

144~145쪽   기초 집중 연습

1-1 0.51	1-2 0.26
1-3 0.93	1-4 2.99
2-1 0.72	2-2 2.42
2-3 4.35	2-4 5.17
3-1 2.43	3-2 1.53
3-3 0.57, 2.89	3-4 2.53, 2.25
4-1 0.16, 1.38	4-2 2.39, 4.85

1-1
$$\begin{array}{r} 0.79 \\ -\ 0.28 \\ \hline 0.51 \end{array}$$

1-2
$$\begin{array}{r} 5\ 10 \\ 0.\overset{\!}{6}3 \\ -\ 0.37 \\ \hline 0.26 \end{array}$$

1-3
$$\begin{array}{r} 1\ 10 \\ \overset{\!}{2}.14 \\ -\ 1.21 \\ \hline 0.93 \end{array}$$

1-4
$$\begin{array}{r} 4\ 17\ 10 \\ \overset{\!}{5}.85 \\ -\ 2.86 \\ \hline 2.99 \end{array}$$

2-1
$$\begin{array}{r} 0.98 \\ -\ 0.26 \\ \hline 0.72 \end{array}$$

2-2
$$\begin{array}{r} 2\ 10 \\ \overset{\!}{3}.15 \\ -\ 0.73 \\ \hline 2.42 \end{array}$$

2-3
$$\begin{array}{r} 4\ 10 \\ 6.\overset{\!}{5}4 \\ -\ 2.19 \\ \hline 4.35 \end{array}$$

2-4
$$\begin{array}{r} 6\ 9\ 10 \\ \overset{\!}{7}.03 \\ -\ 1.86 \\ \hline 5.17 \end{array}$$

3-1 (사과가 담긴 바구니의 무게)−(빈 바구니의 무게)
   =(사과의 무게)
   ⇨ 3.07−0.64=2.43 (kg)

4-1 (주혁이의 키)=(수현이의 키)−0.16
           =1.54−0.16=1.38 (m)

4-2 (초록색 테이프의 길이)
   =(파란색 테이프의 길이)−2.39
   =7.24−2.39=4.85 (m)

똑똑한 계산 연습

① 0.54 ② 1.13 ③ 2.31
④ 2.62 ⑤ 3.31 ⑥ 6.24
⑦ 3.63 ⑧ 2.52 ⑨ 0.78
⑩ 1.79 ⑪ 3.93 ⑫ 4.36

⑦
$$
\begin{array}{r}
{}^{3}\!\!\!\!\!\!{}^{10}\\
\cancel{4}.5\,3\\
-\ 0.9\ \\
\hline
3.6\,3
\end{array}
$$

주의

자릿수가 다른 소수의 뺄셈에서 소수점을 맞추지 않고 계산하지 않도록 주의합니다.

$$
\begin{array}{r}
{}^{4}{}^{10}\\
4.\cancel{5}\,3\\
-\ \ \ 0.9\\
\hline
4.4\,4\ (\times)
\end{array}
$$

⑨
$$
\begin{array}{r}
{}^{0}{}^{10}\\
\cancel{1}.3\,8\\
-\ 0.6\ \\
\hline
0.7\,8
\end{array}
$$

⑩
$$
\begin{array}{r}
{}^{2}{}^{10}\\
\cancel{3}.2\,9\\
-\ 1.5\ \\
\hline
1.7\,9
\end{array}
$$

⑪
$$
\begin{array}{r}
{}^{5}{}^{10}\\
\cancel{6}.8\,3\\
-\ 2.9\ \\
\hline
3.9\,3
\end{array}
$$

⑫
$$
\begin{array}{r}
{}^{8}{}^{10}\\
\cancel{9}.0\,6\\
-\ 4.7\ \\
\hline
4.3\,6
\end{array}
$$

똑똑한 계산 연습

① 0.66 ② 1.47 ③ 3.01
④ 4.29 ⑤ 2.73 ⑥ 1.25
⑦ 3.66 ⑧ 2.58 ⑨ 6.71
⑩ 0.61 ⑪ 5.58 ⑫ 2.36

③
$$
\begin{array}{r}
{}^{5}{}^{10}\\
3.\cancel{6}\,\\
-\ 0.5\,9\\
\hline
3.0\,1
\end{array}
$$

④
$$
\begin{array}{r}
{}^{5}{}^{10}\\
5.\cancel{6}\,\\
-\ 1.3\,1\\
\hline
4.2\,9
\end{array}
$$

⑤
$$
\begin{array}{r}
{}^{8}{}^{10}\\
4.\cancel{9}\,\\
-\ 2.1\,7\\
\hline
2.7\,3
\end{array}
$$

⑥
$$
\begin{array}{r}
{}^{4}{}^{10}\\
9.\cancel{5}\,\\
-\ 8.2\,5\\
\hline
1.2\,5
\end{array}
$$

⑦
$$
\begin{array}{r}
{}^{3}\ {}^{14}{}^{10}\\
\cancel{4}.\cancel{5}\,\\
-\ 0.8\,4\\
\hline
3.6\,6
\end{array}
$$

⑧
$$
\begin{array}{r}
{}^{2}\ {}^{12}{}^{10}\\
\cancel{3}.\cancel{3}\,\\
-\ 0.7\,2\\
\hline
2.5\,8
\end{array}
$$

⑨
$$
\begin{array}{r}
{}^{6}\ {}^{13}{}^{10}\\
7.\cancel{4}\,\\
-\ 0.6\,9\\
\hline
6.7\,1
\end{array}
$$

⑩
$$
\begin{array}{r}
{}^{1}\ {}^{14}{}^{10}\\
2.\cancel{5}\,\\
-\ 1.8\,9\\
\hline
0.6\,1
\end{array}
$$

⑪
$$
\begin{array}{r}
{}^{7}\ {}^{10}{}^{10}\\
8.\cancel{1}\,\\
-\ 2.5\,2\\
\hline
5.5\,8
\end{array}
$$

⑫
$$
\begin{array}{r}
{}^{5}\ {}^{12}{}^{10}\\
6.\cancel{3}\,\\
-\ 3.9\,4\\
\hline
2.3\,6
\end{array}
$$

기초 집중 연습

1-1 1.28	1-2 3.33
1-3 1.91	1-4 0.78
2-1 0.74	2-2 0.63
2-3 2.12	2-4 3.11
2-5 4.41	2-6 2.72
3-1 3.25	3-2 1.83
3-3 4.2, 9.43	3-4 11.8, 4.35
4-1 1.26	4-2 3.27, 1.6, 1.67

2-1
$$
\begin{array}{r}
{}^{0}{}^{10}\\
\cancel{1}.6\,4\\
-\ 0.9\ \\
\hline
0.7\,4
\end{array}
$$

2-2
$$
\begin{array}{r}
{}^{7}{}^{10}\\
0.\cancel{8}\,\\
-\ 0.1\,7\\
\hline
0.6\,3
\end{array}
$$

2-3
$$
\begin{array}{r}
3.5\,2\\
-\ 1.4\ \\
\hline
2.1\,2
\end{array}
$$

2-4
$$
\begin{array}{r}
{}^{2}{}^{10}\\
4.\cancel{3}\,\\
-\ 1.1\,9\\
\hline
3.1\,1
\end{array}
$$

2-5
$$
\begin{array}{r}
{}^{6}{}^{10}\\
\cancel{7}.0\,1\\
-\ 2.6\ \\
\hline
4.4\,1
\end{array}
$$

2-6
$$
\begin{array}{r}
{}^{5}\ {}^{14}{}^{10}\\
\cancel{6}.\cancel{5}\,\\
-\ 3.7\,8\\
\hline
2.7\,2
\end{array}
$$

3-3 👦 : 13.63 m, 👧 : 4.2 m
⇨ 13.63−4.2=9.43 (m)

3-4 👦 : 11.8 m, 👩 : 7.45 m
⇨ 11.8−7.45=4.35 (m)

4-1 (남은 우유의 양)
 =(처음 우유의 양)−(마신 우유의 양)
 =1.5−0.24=1.26 (L)

4-2 (남은 보리차의 양)
 =(처음 보리차의 양)−(마신 보리차의 양)
 =3.27−1.6=1.67 (L)

정답
풀이

153쪽 · 똑똑한 계산 연습

(계산 순서대로)
① 3.7, 9.2, 9.2 　　② 5.7, 7.8, 7.8
③ 3.13, 5.64, 5.64 　④ 6.79, 9.56, 9.56
⑤ 7.3, 8.5, 8.5 　　⑥ 2.2, 9.6, 9.6
⑦ 4.01, 5.16, 5.16 　⑧ 5.98, 7.56, 7.56

① 앞에서부터 차례로 계산합니다.

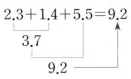

$$2.3+1.4+5.5=9.2$$
3.7
9.2

⑤ 뒤의 두 수를 먼저 더한 후 나머지 한 수를 더합니다.

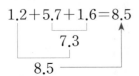

$$1.2+5.7+1.6=8.5$$
7.3
8.5

155쪽 · 똑똑한 계산 연습

(계산 순서대로)
① 5.8, 3.6, 3.6 　　② 5.7, 2.3, 2.3
③ 3.9, 3.4, 3.4 　　④ 5.2, 2.5, 2.5
⑤ 7.47, 5.73, 5.73 　⑥ 5.65, 2.82, 2.82
⑦ 8.89, 5.34, 5.34 　⑧ 5.16, 0.36, 0.36

① 앞에서부터 차례로 계산합니다.

$$6.3-0.5-2.2=3.6$$
5.8
3.6

156~157쪽 · 기초 집중 연습

1-1 4.9　　　　1-2 3.2
1-3 9.6　　　　1-4 2.6
1-5 3.56　　　1-6 3.93
2-1 ·　　·　　2-2 ·　　·
　·　　·　　　·　　·
　·　　·　　　·　　·
3-1 3.13　　　3-2 4.35

3-3 5.18　　　　3-4 2.9
4-1 2.5, 3.7　　　4-2 1.4, 4.9

1-2 $5.8-1.2-1.4=3.2$
4.6
3.2

1-5 $1.25+1.07+1.24=3.56$
2.32
3.56

1-6 $7.87-3.59-0.35=3.93$
4.28
3.93

2-1 $1.31+2.54+2.6=6.45$
3.85
6.45

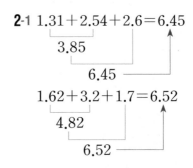

$1.62+3.2+1.7=6.52$
4.82
6.52

2-2 $6.12-1.8-2.94=1.38$
4.32
1.38

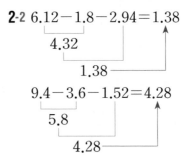

$9.4-3.6-1.52=4.28$
5.8
4.28

3-1 $0.7+1.63+0.8=2.33+0.8=3.13\,(kg)$

3-2 $0.8+2.15+1.4=2.95+1.4=4.35\,(kg)$

3-3 $1.63+2.15+1.4=3.78+1.4=5.18\,(kg)$

3-4 $0.7+0.8+1.4=1.5+1.4=2.9\,(kg)$

4-1 전체 나무 막대의 길이에서 두 도막의 길이를 뺍니다.
　⇨ $7.8-1.6-2.5=6.2-2.5=3.7\,(m)$

4-2 전체 리본 끈의 길이에서 두 사람이 가지는 리본 끈의 길이를 뺍니다.
　⇨ $8.2-1.4-1.9=6.8-1.9=4.9\,(m)$

똑똑한 계산 연습

(계산 순서대로)
① 9.5, 8.9, 8.9　　② 7.2, 4.8, 4.8
③ 5.5, 2.7, 2.7　　④ 8.4, 3.7, 3.7
⑤ 5.66, 4.85, 4.85　⑥ 7.81, 4.02, 4.02
⑦ 6.79, 1.96, 1.96　⑧ 6.43, 4.53, 4.53

① 앞에서부터 차례로 계산합니다.

$$3.8+5.7-0.6=8.9$$
　9.5
　　8.9

똑똑한 계산 연습

(계산 순서대로)
① 3.5, 5.2, 5.2　　② 1.8, 2.1, 2.1
③ 3.8, 9.2, 9.2　　④ 3.9, 6.4, 6.4
⑤ 1.33, 2.51, 2.51　⑥ 4.26, 5.97, 5.97
⑦ 5.59, 6.29, 6.29　⑧ 1.57, 4.85, 4.85

① 앞에서부터 차례로 계산합니다.

$$6.9-3.4+1.7=5.2$$
　3.5
　　5.2

기초 집중 연습

1-1 1.8　　　　**1-2** 2.3
1-3 2.9　　　　**1-4** 3
1-5 3.84　　　**1-6** 4.98
2-1　　　　　　**2-2**
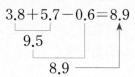
3-1 0.6　　　　**3-2** 1.5
4-1 4.7, 9.2　　**4-2** 1.5, 3.09, 4.75

1-1 $0.9+1.5-0.6=1.8$
　2.4
　　1.8

1-2 $3.2-1.7+0.8=2.3$
　1.5
　　2.3

1-5 $2.51+3.25-1.92=3.84$
　5.76
　　3.84

1-6 $3.46-0.89+2.41=4.98$
　2.57
　　4.98

2-1 $4.7+3.1-2.39=5.41$
　7.8
　　5.41
$6.98+1.5-2.7=5.78$
　8.48
　　5.78

2-2 $3.14-1.08+2.6=4.66$
　2.06
　　4.66
$9.5-4.38+1.2=6.32$
　5.12
　　6.32

3-1 (집~도서관)+(도서관~학교)-(집~학교)
$$=1.2+2.1-2.7=3.3-2.7$$
$$=0.6 \,(\text{km})$$

3-2 (집~소방서)+(소방서~학교)-(집~학교)
$$=2.12+3.58-4.2=5.7-4.2$$
$$=1.5 \,(\text{km})$$

4-1 (처음 딴 사과 무게)-(주스를 만든 사과 무게)
　　+(더 딴 사과 무게)
$$=5.8-1.3+4.7=4.5+4.7$$
$$=9.2 \,(\text{kg})$$

4-2 (처음 캔 고구마 무게)-(맛탕을 만든 고구마 무게)
　　+(더 캔 고구마 무게)
$$=3.16-1.5+3.09=1.66+3.09$$
$$=4.75 \,(\text{kg})$$

164~165쪽 **누구나 100점 맞는 TEST**

① 0.5 ② 2.8
③ 0.25 ④ 1.56
⑤ 3.28 ⑥ 4.57
⑦ 4.31 ⑧ 1.38
⑨ 4.15 ⑩ 3.87
⑪ 0.7 ⑫ 1.47
⑬ 3.87 ⑭ 5.33
⑮ 6.1 ⑯ 4.59
⑰ 3.07 ⑱ 5.1
⑲ 6.06 ⑳ 6.23

⑪
$$\begin{array}{r} {\scriptstyle 2\ 10} \\ \cancel{3}.1 \\ -\ 2.4 \\ \hline 0.7 \end{array}$$

⑫
$$\begin{array}{r} {\scriptstyle 7\ 9\ 10} \\ \cancel{8}.0\,3 \\ -\ 6.5\,6 \\ \hline 1.4\,7 \end{array}$$

⑬
$$\begin{array}{r} {\scriptstyle 4\ 10} \\ \cancel{5}.7\,7 \\ -\ 1.9 \\ \hline 3.8\,7 \end{array}$$

⑭
$$\begin{array}{r} {\scriptstyle 8\ 11\ 10} \\ \cancel{9}.\cancel{2} \\ -\ 3.8\,7 \\ \hline 5.3\,3 \end{array}$$

⑮ 3.4+1.2+1.5=6.1
  4.6
   6.1

⑯ 2.63+0.16+1.8=4.59
  2.79
   4.59

⑰ 6.3−2.78−0.45=3.07
  3.52
   3.07

⑱ 3.6+2.9−1.4=5.1
  6.5
   5.1

⑲ 5.27−1.3+2.09=6.06
  3.97
   6.06

⑳ 8.4−2.5+0.33=6.23
  5.9
   6.23

166~171쪽 **특강** **창의·융합·코딩**

융합① 4.9, 4.7 ; 서당 창의② 7.96 ; 7.96
융합③ 0.47 창의④ 5.72, 1.1, 8.8
창의⑤ 675.8 코딩⑥ 8
융합⑦ 13, 3.2 융합⑧ 33.7
융합⑨ 4.84 융합⑩ 347

창의② 25.7−8.54−9.2=17.16−9.2=7.96 (m)

융합③ 8.8>8.33이므로 두 석탑의 높이의 차는
8.8−8.33=0.47 (m)입니다.

창의④
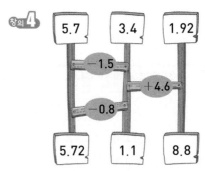

- 5.7−1.5+4.6=4.2+4.6=8.8
- 3.4−1.5−0.8=1.9−0.8=1.1
- 1.92+4.6−0.8=6.52−0.8=5.72

창의⑤ 315.4+102.5+257.9=417.9+257.9
       =675.8 (kcal)

코딩⑥ 9.7−2.45=7.25
7.25는 5보다 크므로 7.25−2.45=4.8에서
소수 첫째 자리 숫자 8이 출력됩니다.

융합⑦ 13코스: 15.9 km, 14코스: 19.1 km
15.9<19.1이므로 13코스가
19.1−15.9=3.2 (km) 더 짧습니다.

융합⑧ 1−1코스: 11.3 km, 10−1코스: 4.2 km
18−1코스: 18.2 km
⇨ 11.3+4.2+18.2=15.5+18.2
      =33.7 (km)

융합⑨ 6⓪3①8② → 6.38, 1⓪5①4② → 1.54
⇨ 6.38−1.54=4.84

융합⑩ 강수량이 가장 많은 계절: 여름 (458.9 mm)
강수량이 가장 적은 계절: 봄 (111.9 mm)
⇨ 458.9−111.9=347 (mm)